Você está contratado!

Um guia completo para você
conquistar o emprego dos seus sonhos

CB039816

Você está contratado!

Um guia completo para você conquistar o emprego dos seus sonhos

Marcelo de Freitas
Nóbrega

Presidente
Henrique José Branco Brazão Farinha
Editora
Cláudia Elissa Rondelli Ramos
Preparação de texto
Camila Rodrigues
Revisão
Vitória Doretto
Hamilton Fernandes
Gabriele Fernandes
Projeto gráfico de miolo e editoração
Camila Rodrigues
Daniele Gama
Capa
Casa de ideias
Impressão
BMF Gráfica

Copyright © 2018 *by* Marcelo de Freitas Nóbrega
Todos os direitos reservados à Editora Évora.
Rua Sergipe, 401 – Cj. 1.310 – Consolação
São Paulo – SP – CEP 01243-906
Telefone: (11) 3562-7814/3562-7815
Site: http://www.editoraevora.com.br
E-mail: contato@editoraevora.com.br

Dados Internacionais de Catalogação na Publicação (CIP) de acordo com ISBD
Elaborado por Vagner Rodolfo da Silva - CRB-8/9410

N754v Nóbrega, Marcelo de Freitas

Você está contratado! Um guia complete para você conquistar o emprego dos seus sonhos / Marcelo de Freitas Nóbrega. - 3. ed. - São Paulo : Évora, 2018.
224 p. : il. ; 16cm x 23cm.

ISBN 978-85-8461-179-9

1. Carreiras. 2. Emprego. I. Título

CDD 658.3
2018-1571 CDU 658.3

Índice para catálogo sistemático:
1. Carreiras : Emprego 658.3
2. Carreiras : Emprego 658.3

A todos os profissionais que dão algo
a mais todos os dias.

Em especial: à Daniela, Gabriel,
Sofia e Baru.

Agradecimentos

Livros sempre exerceram fascínio sobre mim. Leio muito, às vezes dois ou três livros simultaneamente. Em casa, tenho pilhas de volumes aguardando chegar sua vez. Um de meus passatempos favoritos é ir a bibliotecas, livrarias ou sebos e folhear livros sobre os mais diversos temas, de diferentes conteúdos, idiomas, formatos, texturas e cores. Frequentemente, me surpreendo curiosamente observando os títulos nas estantes das casas de amigos. Quem sabe não encontro ali algo que ainda não tenha lido?

Por toda essa intimidade com os livros, quando me lancei à aventura de escrever, não imaginei o quão difícil seria. Meu respeito por autores literários é ainda maior agora.

Felizmente, contei com o apoio de muita gente nessa tarefa.

Aqui registro meu agradecimento à Fabiana Bezerra, Roman Santini, José Augusto Figueiredo, Karen Mascarenhas e André Bocater, que colaboraram com entrevistas sobre os conteúdos abordados. Antonio Fernando Borges muito me auxiliou com o texto. Luis Henrique Hartmann, Jederson Beck, Beto Bueno e Valéria Vironda contribuíram com revisões minuciosas de texto e conteúdo.

Apresentação

Não me lembro exatamente de quando conheci o Marcelo de Freitas Nóbrega. Todavia, tenho a sensação de que foi há muito tempo! Provavelmente foi em seus últimos anos de Repsol YPF, antes de ele entrar no grupo British Petroleum (BP) em 2004. Naquela época, ele já cultivava aquele semblante sério e reservado marcante das pessoas pragmáticas e comprometidas com resultados. Com certeza algo desenvolvido em seus anos de Banco Garantia... Nada desesperador! Quando chegávamos mais perto, notava-se que boa parte daquela "cara de bravo" era apenas timidez revestida de muita vontade de acertar.

Durante sua trajetória pela BP, tivemos oportunidades de desenvolver vários projetos juntos, o que viabilizou a semente de nosso relacionamento e consequente trocas de experiência e pontos de vista sobre evolução de carreira, entre outros. Talvez sem ter consciência de que estávamos diante das questões mais relevantes da gestão de pessoas, debruçávamos e viajávamos ideologicamente sobre a sustentabilidade humana nas organizações. Recordo-me que, durante o verão de 2007, viajando nos Estados Unidos, passei em Houston para visitá-lo e mais uma vez nos percebemos num bar discutindo possibilidades que tangenciavam as escolhas e planos de carreira desde o ponto de vista do individuo até os interesses mais escusos das organizações.

Algum tempo depois, ao voltar para o Brasil, Marcelo me deu o privilégio de ser seu consultor durante sua transição de carreira da BP para Reckitt Benckiser em São Paulo. Apesar de seu peculiar foco no resultado e falta de paciência, Marcelo entrava fundo nas questões e aprendia bastante nas trocas com os outros colegas no mesmo processo. Ficava ali evidente outra característica pessoal (a qual poderia ser despercebida devido ao seu explícito pragmatismo), que era a necessidade de compreender com profundidade tudo aquilo que vivenciava. Foi assim que Marcelo encarou seu próprio processo, ou seja, em pouco tempo, já estava pronto para escrever uma tese sobre o tema. Venceu sua timidez, maximizou suas forças, fez *networking* com muitos executivos e conheceu os principais recrutadores de executivos do país.

Acredito que seu livro é uma natural consequência do afinco e comprometimento com a alta performance e excelência que ele coloca em tudo que faz. É fundamental poder contar com a contribuição de profissionais como Marcelo nessa ciência tão humana que é a transição na vida profissional.

JOSÉ AUGUSTO FIGUEIREDO, CEO PARA O BRASIL DA LEE HECHT HARRISON, EMPRESA ESPECIALIZADA EM MOBILIDADE DE TALENTOS E GESTÃO DE CARREIRA.

Prefácio à terceira edição

O autor escreve apenas metade de um livro.
A outra metade fica por conta do leitor.

A frase do escritor inglês Joseph Conrad sintetiza de forma surpreendente minha experiência de escrever, publicar e divulgar este *Você está contratado!*, que atinge agora sua *terceira edição*, cuidadosamente revista e ampliada.

Em primeiro lugar, traz à lembrança meu esforço inicial diante da página em branco, tentando traduzir da maneira mais fiel e proveitosa possível o meu aprendizado, como profissional de RH, sobre um momento tão crucial para uma carreira: a busca da sonhada *nova posição no mercado de trabalho*. Minha vontade era compartilhar tudo o que tinha aprendido ao longo dos anos e as experiências que tinha acumulado depois de me sentar dos dois lados da mesa. Mas, à medida que ia escrevendo, eu me perguntava: será que vou conseguir contar *tudo*?

A frase de Conrad também responde minha dúvida: um livro nunca está completo sem a participação ativa do leitor. A ele cabe interagir com o texto, empenhar-se na sua assimilação e compreensão, sublinhando, rabiscando, tomando notas – isto é, *dialogando com o autor*. Talvez, já desconfiado disso, tratei de incluir questionários e "testes de avaliação", além de oferecer algumas páginas em branco onde o leitor pudesse justamente anotar suas vivências e reflexões. Era uma forma de oferecer a ele a oportunidade de trocar opiniões, treinar, fazer ajustes e, por fim, colocar em prática tudo aquilo que aprendeu nestas páginas. *Você está contratado!* quis ser, desde a origem, um convite e um desafio para que o leitor se arriscasse no mercado e, paralelamente, retornasse de vez em quando ao livro para retroalimentar tanto a experiência quanto o aprendizado, comparando-os com os resultados iniciais desses testes.

Lembro-me também de que, lá no início, resisti um pouco à ideia de escrever e publicar o livro. Felizmente, não cedi a essa tentação. Porque a verdade é que, desde a primeira edição, *Você está contratado!* tem me trazido um excelente retorno que vai muito além dos bons resultados das vendagens. Centenas de leitores tiveram a generosidade de partilhar comigo suas experiências – e seus testemunhos ajudaram a enriquecer o conteúdo das novas edições do livro. Minha intenção mais sincera era ensinar o que eu tinha aprendido e, com isso, ajudar os profissionais nesse desafio que envolve a recolocação no mercado de trabalho e a realização de suas metas pessoais. Mas foram tantos os depoimentos e as conversas marcantes, seja ao vivo ou pelas redes sociais, que posso afirmar com certeza: quem mais saiu ganhando fui eu.

Definitivamente, algumas coisas não se traduzem em estatísticas. E uma das mais "intraduzíveis" é, sem dúvida, a satisfação que vislumbrei nas palavras e no rosto de cada uma dessas pessoas. Mais do que simples relatos de sucesso, pude participar do entusiasmo de diferentes profissionais que, graças ao livro, tiveram a chance de perceber seus erros a tempo – e os corrigiram, e afinal conseguiram se recolocar. Porque, ao menos nisso, a vida se parece com o esporte: a busca de uma nova posição no mercado de trabalho exige muita dedicação e empenho. O treinamento e a prática devem ser persistentes e, em certo sentido, às vezes precisam ser mais duros do que a prova real – ou seja, a hora H de "entrar em campo".

De uma forma ou de outra, tentei incorporar todas essas experiências ao conteúdo da nova edição. Afinal, o mundo do trabalho evolui, e o livro precisava acompanhar essa evolução. Com isso, *Você está contratado!* vem renovar o desafio e o convite iniciais. Mais uma vez, a bola está com você, leitor! Mãos à obra: arregace as mangas, entre em campo, treine, pratique – enfim, dê o melhor de si. Depois, volte para me contar que *você foi contratado*!

Sucesso!

O autor

Prefácio à primeira edição

Interessante, que, com mais de 30 anos de atuação em lidar com jovens e profissionais de Recursos Humanos em meu trabalho, tenho que reconhecer a perplexidade do valor de se descortinar novas sabedorias em nosso campo profissional.

Foi assim que me senti ao receber o livro de Marcelo de Freitas Nóbrega para honrosamente escrever o seu prefácio. Esta obra atesta a complexidade da vida refletida na pessoa e no mundo corporativo em um momento difícil de um ser humano que é o de ir à busca do seu sonho ou de sua revisão profissional.

Digo isto pela constatação de que o autor nos premia com uma obra perfeita de como se deve transmitir o sim e o não de um tema extremamente difícil, que é a procura de uma oportunidade ou recolocação de trabalho.

Reflexões e orientações essas, vindas de um alto executivo, de grandes realizações e com uma trajetória profissional em curso em uma das maiores empresas do País.

Preciso destacar que aqueles que conhecem Marcelo de Freitas Nóbrega, pela sua forma prática e pragmática de posicionamento sobre os fatos que o cerca, seja como profissional, seja no relacionamento com sua família, ou mesmo em um trabalho voluntário que tão bem desenvolveu antes de ir trabalhar nos Estados Unidos, como diretor de pesquisa da ABRH (Associação de Recursos Humanos) do Rio de Janeiro, não esperavam menos dele. Ele sempre foi o pêndulo equilibrado das decisões que de difíceis se tornavam leves e bem fundamentadas (pelo estudioso que é). Falar com propriedade é uma de suas características mais marcantes.

Ao ler esta obra, deparei-me por várias vezes fazendo uma pausa e refletindo sobre a minha própria trajetória profissional. E acredito que o leitor fará o mesmo. O autor tem a capacidade de apresentar questionamentos que nos levam a pensar no futuro e olhar o passado e dizer: "Por que não?"

A ousadia com planejamento é uma combinação perfeita que Marcelo de Freitas Nóbrega nos faz refletir, de forma até constrangida, quando percebemos a ausência desses atributos na maioria dos profissionais. Temos sonhos, metas e não nos preparamos para eles. Há uma natural anestesia quando o assunto é ousar mudar de emprego ou buscar de forma planejada uma recolocação.

Outra reflexão que o livro nos traz é a importância do autoconhecimento aliado à necessidade de autoafirmação. A nossa insegurança muitas vezes se dá por não nos conhecermos profundamente. Precisamos explorar os pontos fortes e melhorar naquilo que não somos tão bons assim, como ressalta o autor quando diz que o "autoconhecimento é particularmente importante no momento de uma mudança".

Procurar por uma oportunidade no mercado requer lidar com situações não muito fáceis com relação aos outros, suas percepções e suas atitudes. Poucos gostam de falar sobre isto, mas talvez este seja o maior impacto que um profissional recebe ao perceber que, este momento tão vital na vida dele, não é visto assim por parte daqueles que julgava serem as melhores pessoas para apoiá-lo. E, mais uma vez, o autor desnuda esse momento sensível ao chamar a atenção que tudo depende unicamente de nós e do nosso entendimento e que temos condições de superar esses obstáculos.

O autor também desmistifica "certas verdades" correntes no mercado, como aquela que somente grandes empresas oferecem as melhores oportunidades, ou aquela de que quanto mais currículos distribuir é ter a chance de maior retorno.

A obra, com muita didática, leva o leitor a conhecer os processos das áreas de Recursos Humanos, como a questão do organograma, para conhecer as funções e responsabilidades de quem na empresa escolhe os candidatos, ou seja, a complexa questão do entendimento das etapas do processo seletivo, que sempre é visto como um "dragão de sete cabeças", é mostrada e relatada pelo autor através de uma série de experiências que muitos não se dão conta.

O livro ajuda o leitor, de forma clara, objetiva e reflexiva, a obter autoconfiança em si mesmo e entender que a dinâmica do mundo corporativo tem suas nuances e particularidades.

Comecei o prefácio falando da importância do livro para aqueles que buscam uma oportunidade ou recolocação no mercado de trabalho. Mas constato que a obra vai muito mais além.

Ela se aplica aos profissionais de Recursos Humanos, no entendimento do seu desafio em atrair os melhores profissionais em suas empresas; aos líderes, na necessidade de se prepararem ao participar da decisão da escolha de um candidato em um processo seletivo e também conhecer a complexidade na gestão de pessoas; aos professores dos cursos de graduação que deveriam obrigatoriamente ler este livro e repassar seus ensinamentos para os alunos que, em curto espaço de tempo, estarão no mercado de trabalho buscando o seu sonho profissional.

Indo além, digo que o livro também se aplica aos que preferem a carreira empreendedora, para que compreendam a importância de se constituir uma empresa que valoriza e respeita os que estarão abraçando a mesma causa: o de fazer com que o sucesso da empresa seja o seu próprio sucesso.

Enfim, este livro é um "céu aberto" de perspectivas para realizações humanas.

Boa leitura!

LEYLA NASCIMENTO, PRESIDENTE DA ABRH NACIONAL E SÓCIA E DIRETORA EXECUTIVA DO INSTITUTO CAPACITARE.

Sumário

Introdução

No final de 2008, enquanto o mundo era sacudido por uma grave crise econômica e as pessoas agarravam-se aos seus empregos, eu estava caminhando na contramão: desembarcava com minha família no Brasil, depois de ter deixado, voluntariamente, um bom emprego nos EUA.

Na opinião de muitos, era como se eu navegasse contra a maré. Mas o fato é que, depois de apenas três meses de busca, no início de 2009, comecei a trabalhar numa empresa e numa posição que correspondiam exatamente àquilo que eu procuraava.

Sorte? Milagre? Coincidência? Nenhuma destas coisas. Para mim, foi resultado de um esforço muito bem planejado e – sobretudo – bem executado. O que poderia chamar, apressadamente, de "apenas três meses" foram, na verdade, 90 dias de trabalho direcionado e disciplinado, de dedicação e persistência. Procurar um emprego é uma tarefa árdua. A escolha era minha, e eu escolhi. Simples assim.

Simples?! Bem, talvez esta não seja a palavra mais adequada para definir um processo que inclui complexas operações de relacionamento e uma procura atenta e sistemática de oportunidades – além de exigir a capacidade de saber a hora exata de avançar, recuar ou apenas aguardar a próxima jogada. Na verdade, não foram "apenas três meses" de busca: afinal, eu não comecei a me preparar para o novo emprego naquele momento, mas há mais de 20 anos, quando ainda estava nos bancos escolares... O êxito apenas veio coroar essa longa trajetória.

Foi assim. Em julho de 2007, eu trabalhava na área de Recursos Humanos numa empresa do setor de óleo e gás, na cidade americana de Houston, Texas, quando cheguei a uma importante conclusão: não era *aquilo* o que eu queria. Minha insatisfação era grande: não gostava do trabalho, não gostava da empresa, da posição que ocupava – nem gostava de Houston. E resolvi voltar ao Brasil.

Eu estava ali há apenas um ano – um prazo muito curto. Minha intenção original era ficar uns dois ou três anos nos Estados Unidos. Retornar, naquele momento, seria precipitado e, certamente, teria consequências negativas para minha carreira. Resolvi, então, permanecer no emprego e naquela cidade por mais 12 meses e planejar, detalhadamente, minha volta.

Fiz o dever de casa, colocando em prática tudo aquilo que viria a contar, mais tarde, neste livro.

Primeiro passo: pensei nas minhas *competências* – nas que eu já tinha e naquelas que queria desenvolver. Que tipo de projetos me dariam oportunidade de desenvolvê-las? Tratei então, dentro da empresa, de me colocar em situações que abrissem oportunidades em projetos assim. Eu tinha apenas um ano para fazer isso (e ninguém se iluda: um ano passa rápido!).

Continuei me questionando, tratando de responder algumas perguntas essenciais: o que, afinal, não está bom para mim? Que novo ambiente de trabalho e escopo de atividades me dariam esta satisfação que não estou alcançando aqui? Que posição? Integrando ou liderando uma equipe? E uma equipe de que tamanho? Qual o tipo de negócio?

Cheguei a conclusões importantes. Entre elas, a de que eu queria sair do setor de petróleo e gás. Era uma área em que eu tinha trabalhado dez anos e onde aprendi muito – mas, àquela altura, eu queria uma mudança de ares. Seus projetos têm maturação longa e, muitas vezes, não vemos os resultados das nossas ações. Vi que minha vontade era trabalhar numa empresa ágil – em processo de construção ou de transformação. Ali então teria mais oportunidades de criar. Além disso, queria um setor mais dinâmico – uma empresa de bens de consumo, por exemplo, que sentisse as pressões e demandas do mercado e tivesse permanentemente que se reposicionar, lançar novos produtos, interagir com clientes e disputar mercado com concorrentes igualmente agressivos.

Também não queria voltar para minha cidade, o Rio de Janeiro: se eu planejava uma experiência diferente, e mais impactante, teria que ser em São Paulo – a capital de negócios do Brasil e da América Latina. Depois de bastante reflexão cheguei ao perfil da posição almejada e que finalmente conquistei.

O passo seguinte foi preparar meu *currículo* e submetê-lo à avaliação de um círculo restrito de amigos de confiança, em busca de opiniões e sugestões enriquecedoras. Também pesquisei bastante, visitei sites de *headhunters* – e li livros e publicações de Recursos Humanos com recomendações sobre busca de emprego: como se preparar, como se comportar durante a entrevista e outras sugestões.

Outro passo importantíssimo: expandir meu *networking* naqueles últimos meses que passaria nos Estados Unidos. Aproveitei as férias de fim de ano para visitar o Brasil, contatar e visitar algumas pessoas, pedindo sempre para ser apresentado a mais gente (amigos em posições de destaque em empresas, *headhunters*), e assim fui abrindo novos caminhos.

Conversar com pessoas e falar sobre mim: essa foi outra rotina sistemática, que iniciei ainda lá fora e continuei quando cheguei ao Brasil. Montei e contei minha história – aliás, minhas histórias são várias: pessoal, vida acadêmica, profissional e aquilo que eu estava buscando.

Meu plano começou com um ano de antecedência: definindo os objetivos, desenvolvendo todo o material de suporte, estudando, fazendo *networking*, descobrindo oportunidades, falando com gente. Doze meses de preparação e mais três de busca: até chegar à posição em que estou atualmente, fiz tudo aquilo que você vai ter que fazer – e que eu começo a mostrar a partir de agora.

Este livro conta a minha história. O que apresento aqui é o resultado da minha experiência pessoal e da minha vivência, do outro lado da mesa, como executivo de Recursos Humanos, de anos aconselhando amigos e conhecidos – e também de muito estudo e pesquisa.

Não sei se você está buscando seu primeiro emprego, se acabou de ser demitido, ou se anda insatisfeito com seu trabalho atual – mas, uma coisa eu posso lhe adiantar, caro leitor: se você está querendo *mudar*, é bom que se apresse e comece logo a correr atrás do que quer, porque você... já está atrasado!

Então, esperando o quê? Mãos à obra!

Marcelo de Freitas Nóbrega

Capítulo 1

Pequenas verdades e grandes mitos

É muito comum que amigos e conhecidos, insatisfeitos com as empresas em que trabalham, peçam meu conselho sobre seus currículos, como se comportar durante uma entrevista, negociar uma proposta salarial, ou até por onde começar a busca de uma nova posição no mercado de trabalho. Fico espantado ao ver como profissionais maduros e bem-sucedidos se revelam tão mal preparados e inseguros nessa hora. É surpreendente a quantidade de mitos, ilusões e "achismos" em torno do assunto.

Por isso, minha primeira preocupação aqui é desfazer um punhado desses mitos e reforçar alguns pontos verdadeiros. Falo com base na experiência de quem já esteve dos "dois lados da mesa", estudou muito o assunto e testou um método próprio na prática.

O país está em crise. Ninguém está contratando...

Em momentos de crise, ninguém está seguro no emprego. Há demissões em todos os setores de atividade e níveis hierárquicos de todas as empresas – desde os mais simples à Diretoria.

E por que isso acontece? Porque, em função da incerteza sobre o futuro, pessoas e empresas restringem seus gastos e investimentos. Quer dizer, demite-se porque o nível de atividade se retrai – e as empresas já não produzem nem prestam o mesmo volume de unidades ou serviços.

O foco das empresas passa então a ser redução de custos e projetos de simplificação. Nessa situação, valorizam-se algumas áreas de finanças (orçamento e contabilidade de custos), gerentes de projetos, engenheiros de embalagens, profissionais de *supply chain* e compras (são eles que pressionam fornecedores por melhores contratos) e os profissionais de RH que já tenham participado de reestruturações organizacionais.

Mas nem tudo são problemas, nessas horas. Algumas empresas reforçam o foco em vendas e procuram aumentar a receita: apesar do mercado fraco, elas têm que vender mais! Com isso, marketing e vendas serão valorizados.

Pode haver também mudança de estratégia e surgirem oportunidades de compra de empresas ou de linhas de produtos de outros *players* de mercado. Nesses casos, quem se beneficia são os profissionais de planejamento estratégico, fusões e aquisições e da área de marketing.

Acredite: o mercado é uma coisa viva e dinâmica, e mesmo em tempos de crise existe a necessidade de profissionais capazes de superá-la. Só por estes exemplos, dá para ver que profissionais de todas as funções têm a chance de ser valorizados também em momentos de crise.

Juniorização: demita o cinquentão e contrate dois de 25

Não há a menor dúvida: essa "renovação forçada" ocorre de fato no mundo corporativo – principalmente em conjunturas de crise.

Há momentos em que as empresas trocam profissionais mais experientes e às vezes mais caros por outros mais jovens – e que custam menos. Barateia-se o custo de estrutura às custas da experiência e, ao mesmo tempo, aposta-se que o profissional iniciante mostrará mais garra, mais vontade de aprender e crescer – e que isso, de alguma forma, compensará a perda de *expertise*. Essa mudança ocorre também quando as empresas querem oxigenar seus quadros e promover rupturas com o *status quo* ou inovar mais.

Mas não se desespere, pois esses movimentos são cíclicos. As razões que levam algumas empresas a demitir os "grisalhos" acabam passando – e a inexperiência um dia cobra seu preço. As empresas se dão conta de que precisam de gente com mais experiência, estabilidade, tranquilidade e maturidade para orientar os mais jovens. Em outras palavras: profissionais com bagagem para tirar maior proveito de condições de mercado (sejam elas mais favoráveis ou mais difíceis).

Então, procure surfar na onda certa. O segredo é entender em que momento do ciclo está a empresa em que você está interessado. Sendo um *baby boomer* ou integrante da Geração Y, destaque as experiências e competências que farão sentido para aquela empresa, no momento certo.

Olhe direito: há vagas!

No passado, os cadernos de classificados dos jornais eram usados para a divulgação de vagas de emprego em grandes empresas. Esse hábito caiu em desuso: como você pode ver na Tabela abaixo, hoje os anúncios em classificados representam *menos de 2%* das ofertas de emprego. Quem ainda procura nos jornais dirá que os empregos sumiram. Mas as vagas existem. Há bons empregos disponíveis – só que a maioria deles (mais de 80%) não costuma ser anunciada.

As melhores empresas do país preferem outras formas de recrutamento:

Recrutamento Interno: 28%
Indicações de Empregados: 25%
Banco de Currículos: 22%
Consultorias: 12%
Recrutamento Externo: 7%
Programas de Estágio e Trainee: 4%
Anúncio em Jornal: 1,4%
Sites de Recursos Humanos: 0,3%
Rodízio de Funções: 0,3%

(Fonte: as 100 melhores empresas para trabalhar. *Revista Época – Edição Especial*, São Paulo, 2008-2009.)

Mesmo na lista das melhores empresas para se trabalhar (aquelas de onde ninguém quer sair), existe uma rotatividade anual de 9% – o que não é pouca coisa. Leve em conta também que permanentemente há saídas voluntárias das empresas, pois o tabuleiro está em constante movimento. Há sempre algum profissional mudando de cidade ou país, ascendendo na carreira, tentando a sorte em outra corporação ou, simplesmente, se aposentando.

Em todos os setores e em todas as regiões do país, há sempre um bom número de empregos formais disponíveis – e um deles pode muito bem ser seu.

CORRA: VOCÊ JÁ ESTÁ ATRASADO!

Um emprego novo leva tempo para ser conquistado. Principalmente se você não estiver disposto a aceitar "qualquer coisa" que aparecer, e sim, uma posição à altura do seu projeto de vida, de sua experiência, sua capacidade e seu potencial. Para isso, você vai precisar de muito planejamento – além de investir tempo e suor. Dependendo das condições de mercado, achar um emprego novo pode levar de quatro a oito meses.

Além disso, assim como você, há milhares de pessoas pensando em mudar de empresa, já com o "time em campo" e disputando a mesma vaga

Neste momento em que você procura uma recolocação no mercado, ou está em busca de novos desafios para dar um salto na carreira, é fundamental ter em mente com toda a clareza: você *já* está atrasado!

Isto significa que a jornada vai ser longa. Então, não perca mais tempo, trate de se mexer e dar o primeiro passo.

PRIMEIRO PASSO: CONHECE-TE A TI MESMO

Dizem que Sócrates, o filósofo grego, tinha como base de sua filosofia uma frase inscrita na entrada do Templo de Apolo, na Antiga Grécia: "Conhece-te a ti mesmo". Não é preciso ser filósofo para reconhecer a grande sabedoria desta frase, que tem quase 3 000 anos, mas continua muito atual.

"Qual é o meu projeto de vida? Em que eu gosto de trabalhar? O que eu faço bem? Até onde eu posso chegar? Quais as competências que eu tenho e quais ainda preciso desenvolver ou adquirir? Quais são meus pontos fortes e meus pontos fracos? Afinal, o que está faltando para me sentir realizado?" São perguntas que você precisa se fazer, tanto na carreira quanto na vida pessoal.

O autoconhecimento é particularmente importante no momento de uma mudança, pois você terá que enfrentar uma pergunta-chave: Por que, *realmente*, eu quero mudar de emprego? O risco de não respondê-la com sinceridade é encontrar- se novamente na mesma situação de insatisfação dentro de pouco tempo.

E a estas perguntas, você terá que acrescentar outras, também relevantes: "O que eu procuro no novo emprego? Com quem eu gosto de trabalhar? Que tipo de chefe me faz render o máximo?". E ainda: "Que tipo de empresa eu prefiro?".

Esteja preparado: no início, talvez não seja fácil responder a todas essas perguntas com a sinceridade e a profundidade necessárias. Então, o jeito é começar agora!

VOCÊ É DONO DO SEU FUTURO AGORA!

Muita gente perde tempo reclamando das dificuldades da vida e acaba "não tendo tempo" de atacar as *causas* desses problemas. Não entre nessa:

convença-se, de uma vez por todas, de que é o dono do seu futuro – e que cabe a você (e *só* a você) tomar nas mãos as rédeas da sua vida.

Se está descontente com alguma coisa (trabalho ou vida pessoal), trate logo de identificar as causas e assumir uma atitude proativa. Só *você* pode saber o que quer. Se espera que a felicidade caia do céu ou que o próximo governo, seu chefe, ou cônjuge vá melhorar as coisas, esqueça: ninguém lhe dará nada de graça.

Vista a camisa do seu próprio time, em que você tem que ser ao mesmo tempo o técnico e o goleador – e trate de entrar em campo de uma vez. Olhe em volta: seu futuro depende principalmente de *você*.

Alguns amigos irão decepcionar...

A maioria das oportunidades desse novo emprego virá através de uma *network* bem construída – a famosa rede de relacionamentos, que você vai tecendo ao longo da vida. Em geral, ela começa a partir dos amigos, as pessoas em quem mais confia e com quem mais se abre.

Na cultura latina, na qual predominam os laços pessoais e familiares, a expectativa, neste sentido, é enorme: "Meus amigos não hão de me faltar!" Mas a verdade é que você tem que estar preparado para decepções: certos amigos *não* ajudarão. E pelos mais diversos motivos: um, porque não tem tempo; outro, porque prefere não se comprometer numa recomendação; outro, porque não tem mesmo como ajudar – e outros, simplesmente, porque não querem. Alguns podem, de repente... sumir.

Coisas do mundo corporativo, ou por que não, coisas da vida. Faz parte do jogo. Respeite a decisão alheia. O melhor a fazer é respirar fundo e não se deixar abater por isso. Afinal, o dono do seu destino é você, não é mesmo?

Por outro lado, o inesperado também pode trazer boas surpresas: você vai receber ajuda de onde menos estiver esperando. Pessoas que nem considerava tão "chegadas" vão abrir portas e oferecer dicas preciosas. Você só precisa estar atento e preparado para as surpresas e frustrações.

Estar desempregado pode ser uma vantagem

É um mito achar que a situação mais confortável para se procurar um emprego é quando se está empregado. Afinal, você continua recebendo um salário, sem precisar "queimar reservas" – e, acima de tudo, vai estar numa posição confortável, na hora de escolher entre o emprego atual e o novo.

Pode parecer absurdo, mas estar desempregado também *traz algumas vantagens* nesta hora. A mais evidente é que você pode começar *imediatamente* na nova posição, ao passo que quem está empregado vai precisar de um prazo para se desligar da empresa anterior.

E não é só isso, um profissional desempregado não exigirá um *sign on bonus*[1], compensação por prêmios que ele teria que abandonar ao deixar um emprego, nem terá expectativas irreais quanto a aumentos salariais ou benefícios especiais – em suma, todas essas coisas que representam potenciais custos adicionais na contratação de um profissional empregado.

São detalhes que pesam na decisão do responsável pela contratação – e, justo onde você pensava estar em desvantagem, vai descobrir que a próxima vaga pode ser sua.

Respostas "certas"? Não é bem assim...

Existe uma grande quantidade de publicações (livros, revistas, etc.) oferecendo aos candidatos a um novo emprego diversas dicas sobre "como responder corretamente" às perguntas realizadas na hora da entrevista. Mas estes livros e revistas também podem representar uma cilada: não existem as tais "respostas certas" – pelo menos para a maioria das perguntas.

Durante a década de 1990 criou-se um certo folclore em torno das práticas de seleção de empresas ousadas e inovadoras, como a Microsoft, as empresas*.com* e as de consultorias de gestão, como a McKinsey & Co. O

---

[1] Bônus de contratação, compensação por prêmios ou outras receitas das quais um profissional terá que abrir mão para mudar de empresa e aceitar um emprego novo. Muitas vezes, a empresa contratante decide arcar com essa despesa e paga esse bônus de forma a compensar o candidato pela perda financeira provocada pela saída da empresa antes do recebimento de tais bônus ou receitas. Sem essa compensação, o candidato não deixaria o seu atual empregador.

mercado de trabalho aquecido pôs em evidência algumas perguntas e metodologias que eram utilizadas para identificar os candidatos mais fortes:

* Quantas crianças nascem por dia em todo o mundo?;

* Quantos táxis passam pelo cruzamento mais movimentado da cidade onde você mora, entre as 12h e 13h de uma segunda-feira?;

* Explique o custo de fabricação desta caneta.

Na verdade, estas perguntas têm por objetivo observar seu raciocínio lógico, jogo de cintura ou criatividade, assim como a grande maioria das perguntas que vão lhe fazer. No fundo, o que está sendo realmente avaliado é se você é inovador ou conservador, ousado ou prudente, intuitivo ou racional. E para isso não há resposta certa, pois trata-se da sua essência. Além disso, o certo ou o errado vai depender também da interpretação de quem estiver ouvindo a resposta – afinal, é ele quem tem em mente o tipo de trabalho a ser realizado, a cultura da empresa, o perfil dos colegas de equipe e uma série de outras características necessárias para o futuro ocupante da vaga.

O objetivo é selecionar, não "o melhor" candidato, e sim aquele com o perfil mais adequado à posição e à cultura da empresa. É isso que faz toda a diferença – como você vai poder conferir ao longo deste livro.

Você é apenas um ator coadjuvante: relaxe!

Mesmo tendo se planejado muito bem para a busca sistemática e empenhada de um novo emprego, é um erro imaginar que tenha o controle absoluto da situação. Certamente, você pode ter boas cartas na mão e se colocar numa posição confortável para escolher. Você será sempre o dono do seu futuro – mas quem controla o processo seletivo é a empresa.

É a empresa que vai determinar o ritmo e os prazos de cada etapa do processo. O máximo que você pode fazer é se manter informado sobre os "próximos passos" – o que é uma forma de demonstrar interesse. Mas não exagere: "curiosidade" demais pode ser um "tiro no pé", um sinal de ansiedade, que pode pesar contra você na hora da decisão.

Alguns processos serão rápidos, levarão apenas algumas semanas, mas outros poderão se arrastar ao longo de meses. O jeito é ter paciência – muita paciência! – e continuar firme na batalha.

SEU *CURRICULUM VITAE* PODE SE TORNAR SEU PIOR INIMIGO

É comum profissionais de Recursos Humanos receberem currículos todos os dias enviados por amigos, colegas, parentes, amigos de amigos, desconhecidos em geral e "integrantes da torcida do Flamengo e Corinthians".

Qual o problema disso? Em primeiro lugar, em 98% dos casos, trata-se de lixo eletrônico (desculpe a franqueza!). E, para o profissional que está em busca de uma nova oportunidade, é uma ilusão imaginar que o currículo está realizando o trabalho ao qual ele deveria se dedicar.

Costumo ouvir muita gente dizer: "Ah! Já mandei o meu CV para aquela empresa". Acontece que um CV não tem boca, mãos ou pernas. Sozinho, ele não contará a sua história ou responderá perguntas, como só você pode fazer. Também não criará novas oportunidades de *networking*, muito menos permitirá que você aprenda com cada experiência. Não se iluda: mandar um e-mail para alguém com seu CV num anexo não é *networking* – é *spam*.

APRENDA A LIDAR COM A REJEIÇÃO

Você precisa estar preparado para "dar com a cara na porta" várias vezes – e a escutar desculpas evasivas e esfarrapadas ou simplesmente uma sequência de "nãos". Mais ainda: esteja pronto para enfrentar períodos de silêncio, falta de informação, desencontros, cancelamentos, mudanças de direção, etc. Você descobrirá que as barreiras são muitas e os amigos... talvez não sejam tantos assim. Claro que nada disso é agradável, mas faz parte do jogo. A solução? Simplesmente entender que isso é da natureza do processo e não uma questão pessoal, e que você está em busca de *apenas um sim*. Não valorize demais as dificuldades. Lembre-se: ninguém acerta logo de primeira.

Nestas horas, o importante é você estar fortalecido, bem estruturado emocionalmente (com apoio da família e dos mais íntimos), para que os "arranhões" na autoestima não atrapalhem seus planos

Em suma: nunca desanime. Respire fundo, sacuda a poeira – e siga em frente.

O IMPORTANTE É A ATITUDE

Algumas dicas tornam-se lugares-comuns e são repetidas como uma espécie de consenso. E ainda bem que é assim! Pelo menos é o caso deste conselho *fundamental* para quem procura uma nova posição no mercado de trabalho: atitude é mesmo fundamental.

Atualmente, boa parte das empresas (sobretudo as mais destacadas em seus respectivos setores) contrata profissionais levando em conta o *perfil comportamental*, e não apenas as competências técnicas. Cada vez mais, atitudes e comportamentos vão ganhando peso, em favor das pessoas que mais se adequem às crenças e aos valores – quer dizer, à sua *cultura corporativa.*

O raciocínio é o seguinte: por serem as melhores em seus setores, estas empresas já dispõem de quadros técnicos suficientemente qualificados para treinarem os novos contratados. Então, elas preferem procurar pessoas com o "jeitão" e o DNA adequado à cultura local. O resto é questão de treinamento.

A Primeira impressão é (realmente) a que fica

O primeiro contato com cada futuro emprego em potencial é de fato decisivo. Afinal, "a primeira impressão é a que fica" – e nem sempre você terá uma segunda oportunidade para corrigir as coisas.

Segundo o escritor e consultor inglês Tim Hindle[2], "cerca de 55% de nossas primeiras impressões sobre uma pessoa se baseiam em sua aparência, 38% na forma como fala e 7% nas palavras que usa". O tom da voz, a dicção, a maneira de se vestir, a linguagem corporal – tudo isso já vai estar falando *por você*, antes mesmo de começar a passar sua mensagem.

Para garantir o sucesso de um contato ou de uma entrevista, dois destes pontos são particularmente *vitais*: estar bem vestido e falar ao telefone sem nenhum sinal de medo ou inibição.

Pode parecer simples – mas nem por isso você deve deixar de tomar alguns cuidados. Portanto, peça conselhos e treine primeiro com os amigos. Leia publicações especializadas (por exemplo: o *Guia de Estilo VIP* ou os livros de moda e etiqueta de Glória Khalil) e, ao simular um telefonema de emprego, verifique se do outro lado da linha estão conseguindo "ouvir" a sua mensagem.

"Que vença o melhor!"? Nem sempre...

Um último mito a ser desfeito: o de que entre os candidatos na disputa, a vaga será daquele que for tecnicamente superior. Não é bem assim. O grande

[2] Cf. *Interviewing Skills*, publicado pela Dorling Kindersley Limited.

inventor norte-americano Thomas A. Edison costumava dizer: "O gênio é feito de 10% de *inspiração* e 90% de *transpiração*". Isto se aplica muito bem ao nosso caso.

No fim das contas, o escolhido será aquele que tiver as qualificações minimamente necessárias, mas, sobretudo, o que se esforçar e demonstrar mais determinação – ou seja, aquele que souber se *vender* melhor. E, nessa hora, uma série de outros fatores estão em jogo: empatia pessoal, disponibilidade, nível salarial, a cultura da empresa, o perfil dos demais integrantes da equipe – sem falar em fatores subjetivos, como interpretações, extrapolações e suposições dos entrevistadores, ou de seu futuro chefe.

Lembre-se: por mais que tenha seu método, o processo seletivo não é uma ciência exata. E também não é possível você dar aquela olhadinha para o lado, ou pelo retrovisor, como acontece durante uma corrida, para conferir sua posição em relação à concorrência. É um jogo desequilibrado, em que todas as fichas estão na mão de quem contrata. Lembre-se *você não conhece as regras plenamente, não sabe a duração do jogo e nem mesmo quantos e quem são os concorrentes.*

A única coisa que você pode fazer é se preparar, fazer a sua parte e vender-se bem. Trate, portanto, de demonstrar o quanto quer a posição. Se vai ficar ou não com ela, já é outra história: deixe para decidir depois, quando receber uma oferta concreta de emprego (com pacote de remuneração detalhado e tudo mais).

* * *

Antes de seguir em frente:

É sempre bom ter em mente que, ao longo de todo o processo de busca, você vai lidar com muitos conselhos conflitantes entre si – inclusive com este que você está lendo aqui. E é claro que você não poderá dar ouvidos a todos eles.

Isso não chega a ser propriamente um problema: afinal, pessoas diferentes têm experiências e perspectivas diferentes. No fim das contas, quem vai escolher o conselho que deve seguir é você, porque você (nunca será demais repetir) é o dono do seu futuro.

O importante, em cada caso, é entender qual o *contexto* vivido pela pessoa que está lhe dando o conselho. Em que experiências pessoais ela se baseou? De resto, é usar o bom senso e decidir se aquilo se aplica ou não à sua situação.

Selecione as recomendações mais adequadas ao seu projeto – e faça suas próprias escolhas. Pois quem não pode perder tempo em conflitos é você.

VERDADES E MITOS

Este capítulo tratou de algumas percepções e lendas que grande parte das pessoas carrega consigo na hora de procurar uma nova posição no mercado corporativo. Vimos que a maioria delas não é verdadeira e não passa de opinião pessoal, sem base em fatos ou dados concretos. Na verdade, estamos falando de receios pessoais que bloqueiam a tomada de ação e impedem os interessados numa mudança de emprego de ir à luta e encarar o desafio que descreveremos a seguir.

Os próximos capítulos mostrarão ferramentas práticas que vão ajudar você a superar este desafio (ou a jogar este jogo). Mas, antes de entrar em campo, reflita um pouco sobre seus próprios medos e receios: quais as desvantagens que você acredita que apresenta em comparação com outros profissionais; o que o impede de se mover e correr atrás de algo melhor; e o que você não gosta, tenta evitar ou não quer fazer?

Use o espaço abaixo para descrever os obstáculos e barreiras que você terá de enfrentar:

Agora escreva o seu plano de ação para superar cada um dos obstáculos que você listou no espaço anterior:

Capítulo 2

O processo seletivo: o que você vai enfrentar

> Se você conhece o inimigo e conhece a si mesmo, não precisa temer o resultado de cem batalhas. Se você se conhece mas não conhece o inimigo, para cada vitória ganha sofrerá também uma derrota. Se você não conhece nem o inimigo nem a si mesmo, perderá todas as batalhas. (Tzu, 2010, p.28)[1]

Procurar um emprego não é nenhuma "guerra", mas certamente é muito mais do que um jogo – você precisa levar tudo muito a sério. E a primeira coisa a fazer é: conhecer as etapas do processo seletivo que enfrentará até conseguir "chegar lá". É fundamental conhecer o terreno onde pisa, estudar as regras, avaliar os concorrentes e adversários e traçar uma estratégia vitoriosa. Em suma: você não pode ficar contando com a sorte.

A complexidade, a ordem e o número de etapas, os personagens e a duração do processo podem variar de uma empresa para outra – mas a estrutura essencial não muda.

Antes de mais nada, saiba quem são os personagens e qual é o papel de cada um deles durante o processo:

- Candidato: este é você – e as outras milhares de pessoas que estão procurando um emprego novo.
- Chefe (ou o dono da vaga): seu futuro chefe. Aquele que tem uma posição em aberto, está com a equipe desfalcada e vai buscar no mercado um profissional para ocupá-la. Ele é o maior interessado em preencher a vaga. Afinal ele e sua equipe não estão dando conta de todas as demandas. Normalmente, cabe a ele definir o perfil do profissional desejado, fazer a avaliação de currículos, entrevistar os candidatos e, geralmente, tomar a decisão final a respeito do candidato mais adequado.
- Chefe do Chefe aquele que tem o poder final de decisão (porque nem sempre o chefe tem autonomia para decidir sozinho). É muito importante saber *quem* vai

---

[1] Tzu, Sun. *A arte da guerra*. Trad. José Saens. Rio de Janeiro: Editora Record, 2010.

decidir: é essa pessoa que define o orçamento, aprova a vaga, às vezes participa das entrevistas e participa da decisão final sobre o candidato a ser contratado.

- RH: o Departamento de Recursos Humanos das empresas, em geral representado por um analista de recrutamento e seleção. Cabe a ele ajudar o chefe a redigir a descrição de cargo, divulgar a existência da vaga, realizar o recrutamento de candidatos, fazer a triagem dos CVs, conduzir entrevistas – e, por fim, ajudar o chefe na tomada de decisão. É ele também o contato doo *headhunter* ou consultoria externa (quando houver). Certamente, quanto maior for a empresa, o RH e o processo serão mais sofisticados (ou complexos).
- *Headhunters*: empresas de recrutamento e seleção que terceirizam o trabalho que seria realizado pelo RH. Em geral, trabalham em contato com este, às vezes diretamente com o chefe, e fazem a triagem necessária para chegar à lista de candidatos que serão entrevistados. Em tese, costumam ter acesso a muitos profissionais qualificados e têm sensibilidade para identificar a combinação perfeita entre empresa e candidato.

A *JOB DESCRIPTION*: ONDE O PROCESSO COMEÇA

Tudo começa quando a empresa tem a necessidade de contratar um profissional para ocupar um determinado posto de trabalho. Normalmente, a primeira coisa que o responsável por esta vaga faz é elaborar uma *descrição do cargo* – a *job description*, um resumo das principais habilidades e competências (técnicas e comportamentais) que o profissional precisa ter. É com este modelo inicial que todos os candidatos serão comparados, e o vencedor será aquele que se encaixar melhor.

Por exemplo: se a vaga for de contador numa multinacional, ele terá que conhecer, entre outras coisas, o padrão americano de contabilidade (US GAAP: United States Generally Accepted Accounting Principles). Já um engenheiro de segurança deverá saber, necessariamente, como funciona uma brigada de incêndio, a CIPA (Comissão Interna de Prevenção de Acidentes) e as NRs (Normas Regulamentadoras do Ministério do Trabalho e Emprego). E assim por diante.

A descrição do cargo informa também se a posição é de *gestão* ou para um *contribuidor* individual – ou seja, se o candidato gerenciará ou será membro de uma equipe. Iniciativa e orientação para resultados, por exemplo, são outras habilidades comportamentais que costumam complementar a descrição.

É nesse momento também que se define a "ordem de grandeza" da remuneração a ser oferecida ao contratado.

Uma vez pronta, a descrição do cargo será usada pelo departamento de Recursos Humanos para dar início ao recrutamento. Esses documentos são específicos de cada empresa, mas seguem exemplos genéricos:

1. Identificação do cargo
Título do Cargo: Advogado Jr. **Nome do Ocupante:** Posição vaga **Gerente Imediato:** Aurélio dos Santos **Local de Trabalho:** São Paulo
2. Objetivo do cargo
Prestar apoio jurídico à área comercial.
3. Atividades principais
1. Elaboração de contratos, procurações e emissão de documentos; 2. Controle societário das empresas afiliadas: alterações contratuais, assembleias, controle de registros em juntas e publicações oficiais; 3. Cadastro e representação da empresa junto a órgãos reguladores e associações de classe; 4. Responsável pela elaboração da defesa da empresa frente a ações, infrações e autuações impetradas por órgãos públicos; 5. Coordenação dos trabalhos realizados pelos escritórios de advocacia contratados, solicitação e análise de pareceres e seguimento de ações judiciais.
4. Requisitos, habilidades e competências para ocupação do cargo (escolaridade, requisitos técnicos/práticos)
Formação superior em Direito e registro na OAB. Experiência profissional mínima de cinco anos em empresa do mesmo segmento. Conhecimentos em direito societário, administrativo e trabalhista. São imprescindíveis: fluência em inglês, responsabilidade e independência, capacidade para atuar sob pressão, habilidade para trabalhar em equipe, coordenar grupos e reuniões de trabalho e administrar informações de alto grau de confidencialidade.

Ou:

1. Identificação do cargo
Título do Cargo: Gerente de Contabilidade **Nome do Ocupante:** Posição Vaga **Gerente Imediato:** Flávio de Menezes e Silva **Local de Trabalho:** São Paulo

2. Objetivo do cargo
Dirigir e organizar os processos contábeis e de controle de gestão com a finalidade de prover informação útil e confiável para a avaliação do andamento do negócio.
3. Atividades principais
1. Gerar informações contábeis;
2. Controlar os saldos das contas contábeis;
3. Assegurar o registro e controle dos ativos fixos;
4. Planejar o controle de gestão implantando e coordenando os processos contábeis, desenvolvendo indicadores de performance e mecanismos de orçamento e controle de orçamento;
5. Analisar e interpretar informação contábil e operacional. Estabelecer mecanismos de reporting para as empresas controladas;
6. Analisar projeções de resultados e estudos especiais;
7. Garantir a emissão das demonstrações contábeis consolidadas da empresa no Brasil, tanto legais como de gestão;
8. Coordenar a relação centralizada com a auditoria externa;
9. Planejar e orientar as atividades de controle financeiro da empresa, coordenar a execução das tarefas contábeis, orçamentárias, de planejamento tributário e de avaliação de desempenho econômico;
10. Participar das discussões do plano plurianual da empresa;
11. Coordenar outras atividades como a preparação de relatórios destinados aos acionistas, conselho fiscal e entidades governamentais ou contratação de auditoria e serviços de controlaria, afetos às atividades que gerencia.
4. Requisitos, habilidades e competências para ocupação do cargo (escolaridade, requisitos técnicos/práticos)
Formação superior em Administração, Ciências Contábeis ou Economia. Necessário ter CRC. Experiência mínima de dois anos em posição semelhante. A posição requer conhecimento e experiência em normas contábeis, impostos, consolidação de demonstrações contábeis, custos industriais, preferencialmente na mesma indústria. São imprescindíveis: responsabilidade e independência, capacidade para atuar sob pressão, habilidade para liderar equipe, coordenar grupos de trabalho e administrar informações de alto grau de confidencialidade.

Repare que eu apresentei *job descriptions* padronizadas, mas muito comuns no dia a dia das empresas. Então você deve ter percebido que falta um ponto importante nessas descrições, principalmente sendo você um profissional diferenciado: essa padronização não trata dos resultados desejados (objetivos, metas ou entregas) para quem vier a ocupar a posição no futuro. Essa conversa muitas vezes também não acontece durante as entrevistas ou em outras etapas do processo seletivo – e isso pode acabar levando a uma decisão errada (tanto por parte da empresa quanto do candidato).

O fato é que é muito importante entender quais *são as entregas desejadas*, já que será com base nelas que o desempenho do ocupante da vaga será medido e recompensado. E é justamente avaliando a expectativa da empresa quanto à contribuição do futuro empregado que você poderá decidir se a vaga é ou não para você. Essa conversa dará a dimensão dos desafios e complexidade da vaga, se você já está pronto ou se precisará aprender, se tem disposição para encarar, ou se vai ser fácil demais ou simplesmente repetir coisas que você já fez, da oportunidade de aprendizado, desenvolvimento e autorrealização. Por isso, se a empresa não abordar esta questão, *tome a iniciativa de tocar neste ponto tão importante.*

Resultados alcançados e desempenho: é isso que qualifica você para qualquer vaga. (Mas não se preocupe: vamos falar mais disso ao longo deste livro.)

Procura-se!

A etapa de divulgação da vaga envolve uma série de decisões a serem tomadas pelo profissional de RH e pelo chefe. E a primeira delas é se a divulgação será interna ou externa – ou seja, se a informação vai circular apenas entre o pessoal da empresa ou chegará ao mercado.

No primeiro caso, o chamado *recrutamento interno*, é bastante usual: representa 30% das situações. As vagas disponíveis são anunciadas apenas para o próprio pessoal da empresa – através de e-mail, mural, *house organ*[2] ou qualquer outro instrumento de comunicação interna. O objetivo é preencher a vaga com uma pessoa que já trabalhe na empresa. Trata-se de uma promoção, ou de uma movimentação lateral dentro dos quadros funcionais. Se a vaga for preenchida, ela nem será anunciada externamente.

O segundo caso, o *recrutamento externo*, pode ser feito por diferentes caminhos. E um deles é a indicação, que corresponde a 25% das novas contratações: o RH pede aos empregados da empresa sugestões de candidatos externos que se encaixem na posição em aberto. É uma espécie de *networking* interno que conta com a rede externa de relacionamento de cada empregado. Se você tiver um amigo na empresa, souber trabalhar bem e seu perfil estiver alinhado com a descrição do cargo, será um dos primeiros a tomar conhecimento da vaga.

---

[2] Jornal ou revista de publicação interna de uma empresa. Circula apenas para seus funcionários.

Os *bancos de currículos* representam a terceira opção de recrutamento – e correspondem a 20% dos casos. Em geral, eles são alimentados de duas formas: através do site da empresa (onde quem procura emprego pode cadastrar seu currículo) ou com as "sobras" de processos seletivos anteriores. Grandes empresas costumam ter vastos bancos de currículos – pois estão sempre na mira de candidatos em potencial. O problema, no caso, é que em geral a primeira triagem dos CVs é feita com a ajuda de alguma ferramenta eletrônica, mediante palavras-chave extraídas da descrição de cargo. Se o seu currículo não tiver as "palavras certas", ele será automaticamente eliminado.

Headhunters ou *agências de recrutamento* e seleção respondem por 15% do preenchimento das posições em aberto numa empresa.

Uma empresa pode recorrer a eles por três motivos: primeiro, pelo *valor agregado* pela especialização dessas empresas; e também quando tem uma estrutura de RH muito enxuta, que não daria conta do volume ou complexidade do trabalho de recrutamento. No último caso, a vaga é para uma posição altamente qualificada, rara no mercado, que exige uma busca bastante dirigida. Por exemplo: analistas de impostos indiretos ou geofísicos e engenheiros de reservatório (profissionais do mercado de *Oil & Gas*). Mas *headhunters* também podem ser utilizados em outra situação bem específica: a confidencialidade do processo. A empresa pode querer trocar um profissional, cujo desempenho não está correspondendo às expectativas, mas precisa manter isso em sigilo. Nestes casos, os próprios candidatos demorarão a saber qual é a empresa contratante.

Falta mencionar as opções que correspondem aos outros 10% do total de vagas: programas de *trainees*, anúncios em jornais, sites de RH e mídias sociais.

Pronto! Por qualquer um destes procedimentos, a empresa anunciou a posição disponível. Isso vai atrair dezenas, centenas e até milhares de currículos – e o seu estará entre eles.

Recrutamento e seleção: o joio no meio do trigo

A etapa seguinte é a da captação e triagem dos currículos – que, em certos casos, chegam mesmo à casa dos milhares. É a hora de cruzar as informações (descrição do cargo x currículos) e separar o joio do trigo.

A primeira triagem, inevitavelmente, é quantitativa e eliminatória. Às vezes, uma ferramenta eletrônica faz a varredura, com ajuda de palavras-chave. Mas, mesmo quando é feita manualmente, essa primeira seleção tem um foco bastante claro: trata de facilitar a etapa seguinte (mais qualitativa), escolhendo entre os currículos aqueles que mais se adequam ao perfil da vaga e da empresa. Por isso, vá se acostumando desde já à ideia de que é importante caprichar no currículo.

Depois deste primeiro filtro, o número de currículos selecionados sofre uma redução drástica: no máximo, 20 CVs passarão por uma leitura mais detalhada. E desses, apenas de cinco a oito sobreviverão a essa "peneira" inicial e serão chamados para participar das fases seguintes do processo de seleção. Se você tiver feito o dever de casa direito, o seu será um deles.

E é aqui que a parte mais importante do processo começa...

Capítulo 3

Competências: você é único!

Há pessoas que nascem com determinado talento (que outros chamam de *dom*) e, quando encontram o caminho certo, costumam se sair muito bem naquilo que fazem, conquistando sucesso, admiração e fortuna. Os exemplos são muitos, como o apresentador de TV e empresário Sílvio Santos (gênio de vendas, desde os tempos de camelô) e atletas exponenciais como Oscar Schmidt, Zico e Michael Jordan.

Mas é a própria história desses atletas que alerta: não se deve contar só com o talento. É preciso também muito empenho e treinamento. O cestinha Oscar sempre fez questão de repetir: "Dom? Talento? Balela" (título, aliás, de sua autobiografia[1]). Para ele, os chamados "sonhos impossíveis" só se tornam realidade para quem estiver bem preparado na hora em que a oportunidade aparecer.

Com o flamenguista Zico não foi diferente: com todas as suas óbvias competências, o Galinho de Quintino teve que treinar muito mais do que os outros para compensar seus pontos fracos (por exemplo: era franzino) e atingir afinal a excelência. E veja o caso de Jordan: apesar do talento nato para o esporte, tentou se dedicar ao beisebol depois da aposentadoria nas quadras de basquete, mas fez uma carreira medíocre.

É claro que talento conta, mas para a maioria das pessoas que não nasce com nenhum dom especial o decisivo mesmo é se empenhar, treinar, preparar-se – e estar atento às oportunidades.

Infelizmente, a maioria das pessoas não tem muita consciência disso. Na hora de procurar um novo emprego, costuma agir precipitadamente: prefere sair logo em campo, correndo atrás da primeira oportunidade que aparece. O problema é que a busca de emprego não depende apenas de senso prático e disposição. Quem age assim sempre acaba conseguindo "alguma coisa", é verdade – mas não é assim que *você* vai conquistar o emprego que deseja.

Antes de sair em campo para encarar o mercado, dedique-se a conhecer melhor o personagem principal deste processo: *você mesmo*. Já passou pela sua cabeça que a maioria das pessoas nunca encontra o trabalho perfeito

---

[1] Schmidt, Oscar. *Dom? Talento? Balela*. São Paulo: Editora Komedi, 2008.

por uma simples razão: porque não sabem exatamente o que querem. Elas não param para se autoavaliar e definir aquilo que é realmente importante – e só, então, traçar a melhor estratégia para atingir a meta desejada. Não é à toa que existem tantos profissionais infelizes.

A busca de um emprego ideal (e não de *qualquer* emprego) deve começar por um trabalho rigoroso e sistemático de reflexão. Este é o melhor investimento que você pode fazer agora: além de poupar seu tempo e energia no futuro, isso permitirá que você concentre a atenção e os esforços naquilo que *realmente* quer – aprendendo a dizer "não", com firmeza e tranquilidade, para aquilo que não lhe interessa.

Competências: como não ser apenas "mais um"

Nenhum empregador potencial está interessado em saber o que um candidato (você) tem em comum com os outros, ele quer conhecer aquilo em que você é único. E o que pode torná-lo único são as suas *competências*.

Mas o que são *competências*?

Acostume-se desde já com esta palavra, ela é um conceito-chave no mundo corporativo atual e se aplica tanto ao plano *individual* quanto ao *empresarial* – planos que representam, justamente, os dois lados da mesa no processo de busca de um novo emprego. Então, vale a pena entender um pouco melhor tudo isso.

O indiano C. K. Prahalad (1941-2010) e o americano Gary Hamel (n. 1954), doutores em Administração e especialistas no assunto, dão a definição para o aspecto empresarial do conceito: as *competências essenciais* são aquelas aptidões estratégicas e exclusivas que vão garantir a uma empresa *vantagens diferenciais* em relação à concorrência[2].

Para ser considerada essencial, uma competência deve ter três características:

- Ser transferível (quer dizer, aplicável a uma gama variada de mercados);
- Ser capaz de criar valor (ou seja, contribuir de forma significativa para o produto final da empresa);
- Ser uma *vantagem competitiva específica* da empresa, difícil de se copiar (a concorrência não consegue imitar facilmente).

---

[2] Prahalad, C.K.; Hamel, Gary. *The Core Competence of the Corporation*. New York: Harvard Business Review, 1990.

Resultado de um processo permanente de melhoria e aprimoramento, as competências essenciais garantem a uma empresa a liderança de mercado. Em outras palavras: elas fazem a *diferença*, porque criam *singularidade*.

Dominar uma tecnologia exclusiva, inovar em termos de conhecimento técnico, relacionamento com clientes ou distribuição logística – tudo isso pode se transformar em competências essenciais. A Sony, por exemplo, se tornou conhecida pela capacidade de miniaturizar aparelhos eletrônicos. Já a 3M (responsável pelas linhas Post-It, Scotch Brite e Nexcare) se destaca por seus produtos inovadores.

O que isso tem a ver com você? Tem tudo a ver, acredite.

Assim como acontece nas empresas, são as competências – as *suas* competências essenciais – que vão fazê-lo um candidato único. E só o domínio pleno e consciente dessas competências pode lhe permitir escolher o emprego que deseja – e não simplesmente "qualquer emprego".

Mas quais são as competências essenciais de uma pessoa? Em outras palavras, o que pode ajudar a fazer de você um *candidato único*?

Foi o psicólogo norte-americano David McClelland (1917-1998) quem primeiro levantou a questão das competências no plano individual[3]. Segundo ele, as competências estabelecem um *padrão de referência* fundamental para distinguir entre os bons e os maus profissionais. E este padrão abrange as características pessoais mais variadas, desde conhecimentos técnicos específicos até características de personalidade, como atitude e motivação.

Competências: este é o termo genérico que, em linguagem corporativa, designa os *conhecimentos, habilidades* e *comportamentos* que direcionam o desempenho esperado numa função determinada. Para facilitar as coisas, é bom definir o que cada uma dessas palavras significa, nesse contexto:

- *Conhecimento:* é a informação adquirida através do estudo ou da experiência e que será indispensável para determinada função. É o que chamamos de *Saber* – e abrange tanto a escolaridade quanto a especialização e outras demandas da carreira.

---

[3] McClelland, David. *Testing for competence rather than for "intelligence"*. American Psychologist, jan. 1973, p. 1-14.

- *Habilidade*: significa a sua capacidade de realizar uma tarefa ou um conjunto de tarefas de acordo com determinados padrões exigidos pela organização. É o chamado *Saber Fazer*.
- *Comportamento*: é o conjunto de atitudes manifestas, e envolve tanto suas habilidades quanto os traços de sua personalidade relacionados diretamente com a determinação e a ação. É o chamado *Querer Fazer* – e é exatamente isso o que a empresa espera de você.

O próprio McClelland dá um bom exemplo: é possível avaliar a competência de um frentista de posto de gasolina pela sua habilidade em desatarraxar a tampa do tanque e colocar a gasolina – mas o que vai determinar a quantidade de combustível que ele vai vender não são essas capacidades técnicas, e sim a simpatia e a gentileza ao limpar o para-brisa ou calibrar os pneus dos carros dos clientes.

Importantes para o trabalho e decisivas para se atingir a excelência, as competências constituem (no plano individual) uma espécie de DNA: aquela dimensão identificável, mensurável e – o que é mais importante – *inconfundível*. E é isso que vai fazer que você seja único.

Como no exemplo do frentista, são as chamadas *competências técnicas*, diretamente ligadas aos aspectos funcionais de cada negócio ou profissão, que permitem a realização do trabalho propriamente dito.

As *job descriptions*, do capítulo anterior, oferecem ótimos exemplos dessas competências técnicas. O gerente de contabilidade, por exemplo, deve emitir as demonstrações contábeis da empresa, controlar ativos fixos, coordenar a confecção do orçamento anual, controlar as contas financeiras e realizar o planejamento tributário. Já um advogado tem que saber analisar e elaborar contratos e procurações, deve conhecer como funcionam as juntas comerciais e outras entidades reguladoras.

Mas, além das *competências técnicas*, existem as *competências genéricas* – conjunto de comportamentos e habilidades que ajudam a construir a excelência no desempenho. Formação acadêmica, experiência profissional específica e capacidade intelectual, que criam e nutrem as competências técnicas são muito importantes – e é bom que você saiba avaliar muito bem tudo isso. Mas, para determinar aquilo em que você é único, melhor fazer o inventário das competências genéricas. São o *querer fazer* e o *como fazer*. Isso é único ou específico de cada um de nós.

Primeiro, faça uma lista das competências genéricas mais importantes para o bom desempenho do seu trabalho – e que serão, justamente, determinantes para o seu próximo empregador, o dono da vaga dos seus sonhos que você está se preparando para conquistar. Eis apenas alguns exemplos com suas definições:

- *Pensamento analítico*: capacidade de decompor problemas ou situações de forma lógica, identificando as implicações e alternativas que ajudem na tomada de decisões.
- *Pensamento conceitual*: capacidade de localizar semelhanças ou relações excepcionais e sutis entre situações e problemas, e de desenvolver conceitos ou modelos que agreguem valor à empresa.
- *Flexibilidade*: capacidade de se adaptar às mudanças e situações inesperadas.
- *Iniciativa*: predisposição para agir de maneira proativa, antecipando-se aos fatos e assumindo riscos.
- *Liderança*: capacidade de assumir o papel de líder de um grupo ou equipe de trabalho, sabendo adaptar o próprio comportamento às situações do conjunto.
- *Orientação para resultados*: capacidade de tornar o próprio trabalho mais rentável para a empresa.
- *Foco no cliente*: capacidade de detectar e satisfazer as necessidades atuais e futuras dos parceiros, colegas e clientes.

Em seguida, faça uma tabela para cada uma delas, estabelecendo seis níveis de avaliação, de forma a atribuir notas de 0 a 5 aos seus diferentes aspectos, no desempenho de seu trabalho. Pode parecer complicado no início, mas o exemplo a seguir vai facilitar o entendimento.

Importante: ao fazer a autoavaliação, leve em conta tanto suas *experiências anteriores* de trabalho quanto os desafios da sua vida pessoal.

Liderança

Capacidade de assumir o papel de líder de um grupo ou equipe de trabalho, sabendo adaptar o próprio comportamento às situações do conjunto.

Nível 0 – Insuficiente

- Relapso com planejamento e acompanhamento do trabalho de cada integrante da equipe.
- Incapaz de transmitir as informações de que a equipe precisa para executar bem seu trabalho.

Nível 1 – Supervisiona e controla

- Determina funções, metas e obrigações através do consenso; realiza o acompanhamento adequado.
- Fornece as informações necessárias para o bom desempenho do grupo.
- Trata a todos os integrantes da equipe por igual, sem favoritismo.

Nível 2 – Coordena e incentiva

- Estabelece objetivos individuais bem claros, cuidando de seu cumprimento, mas também da coerência e da interrelação de cada um com os outros integrantes do grupo.
- Procura ouvir com interesse as necessidades e ideias de seus liderados.
- Exerce a liderança com justiça e equilíbrio, procurando explicar os motivos de cada decisão.

Nível 3 – Promove a eficiência da equipe

- Define as interrelações e os objetivos a serem compartilhados com outras equipes.
- Incentiva a participação e a troca de ideias.
- Compartilha seus sucessos e se responsabiliza pelos erros ou riscos assumidos por seu pessoal.
- Administra os conflitos e se empenha em resolvê-los, transmitindo calma e segurança nas situações tensas ou ambíguas.

Nível 4 – Consegue o compromisso de sua equipe com a organização

- Constrói e compartilha a visão de sua área, conseguindo que sua equipe assuma seu papel na organização e agregue valor ao trabalho dos colegas e clientes internos.

- Consegue para sua equipe ou seus integrantes projetos e iniciativas atraentes, e de grande impacto para os negócios.

Nível 5 – Consegue o compromisso de sua equipe com o projeto da empresa

- Produz na equipe o envolvimento e compromisso com o projeto da empresa.
- É um líder que transmite credibilidade – e um modelo de atuação para os outros.

Esta é uma página de um dicionário de competências, que você pode obter comprando um bom livro sobre Recursos Humanos (há vários no mercado) ou procurando pela palavra-chave: competências, ou então, gestão por competências, entrevistas por competências ou algo parecido na internet.

Mas, se você não quiser nenhum outro livro, aqui vai um outro exemplo:

Pensamento analítico

Capacidade de decompor problemas ou situações de forma lógica, identificando as implicações e alternativas que ajudem na tomada de decisões.

Nível 0 – Insuficiente

- Costuma ter dificuldade em analisar problemas e situações que enfrenta.

Nível 1 – É capaz de decompor os problemas

- Desmembra problemas ou situações, promovendo comparações entre suas partes.

Nível 2 – Analisa relações causais básicas

- Identifica o essencial e estabelece relações causais simples, ao analisar um problema ou situação.

Nível 3 – Analisa relações causais complexas

- Desmembra de maneira sistemática uma tarefa ou situação complexa, e identifica diferentes causas e diferentes consequências para cada fato.

Nível 4 – Analisa processos complexos de forma detalhada

- Faz análises detalhadas de processos ou problemas complexos, para chegar a soluções viáveis em tempo hábil.

Nível 5 – Analisa processos a partir de diversas vertentes

- Analisa processos ou problemas multidimensionais, e identifica diferentes soluções, calculando o valor e as implicações de cada uma delas.

Se estes exemplos ficarem complexos e trabalhosos demais, e você achar difícil projetar o conceito para outras importantes competências suas, use a seguinte tabela simplificada:

	Liderança	Pensamento analítico	Orientação para resultado	Outra competência relevante para você
Limitado	✓			
Básico				✓
Eficiente			✓	
Avançado				
Coach		✓		

Pronto: agora ficou mais simples. Mas cuidado para não enveredar por atalhos na hora de avaliar os pontos em que você *realmente* é bom e – fundamental! – aqueles em que tem condições para avançar e se desenvolver. Inclua na primeira linha da tabela aquelas competências que você julgar necessárias para o bom desempenho no emprego que você almeja.

Limitado: Assinale este nível de desempenho se você normalmente demonstra uso e conhecimento limitados desta habilidade. (Verbos associados: seguir, obedecer e utilizar.)

Básico: Assinale este nível de desempenho se você normalmente demonstra conhecimento e habilidade básicos e precisa ser supervisionado na sua utilização. (Verbos associados: apoiar, entender e prestar assistência.)

Eficiente: Assinale este nível de desempenho se você demonstra domínio consistente e efetivo da competência. (Verbos associados: aplicar, gerenciar, desenvolver e implementar.)

Avançado: Assinale este nível de desempenho se você demonstra habilidade superior e flexível na aplicação da competência numa variedade de situações de diferentes níveis de complexidade. (Verbos associados: liderar, direcionar e influenciar.)

Coach: Assinale este nível de desempenho se você é reconhecido como *expert*. Desenvolvendo, ensinando e promovendo melhores práticas de aplicação da competência. (Verbos associados: ensinar, criar e inspirar.)

O inventário sistemático de competências vai ajudar você a delinear com clareza seus *pontos fortes* e seus *pontos fracos*, auxiliando-o a colocar em ação o conselho do austríaco-americano Peter Drucker[4] (outro guru da Administração moderna): concentrar-se nos pontos fortes, de modo a obter resultados cada vez melhores. Segundo Drucker, tentar desenvolver um ponto fraco é perda de tempo. Fraquezas são inevitáveis (todo mundo as tem), mas cada um de nós possui também muitas *fortalezas* – e são estes aspectos positivos que você deve saber capitalizar, concentrando-se na busca de uma função em que seus pontos fracos não serão exigidos e, portanto, não irão prejudicar seu desempenho.

Isso significa que você deve ter como alvo o setor de atividade, os cargos e as empresas onde seus pontos fortes possam ser valorizados e desenvolvidos. Mas cuidado: durante os processos seletivos que você vai enfrentar, é importante demonstrar consciência de seus pontos fracos e, mais ainda, mostrar disposição e atitudes para melhorá-los. Nos capítulos sobre entrevistas, vamos voltar a insistir neste ponto.

Para citar outro guru do mundo dos negócios, Steve Jobs sempre dizia que era necessário se dedicar àquilo pelo qual você tem paixão, porque do contrário seria muito difícil gostar do trabalho. Portanto, descubra onde estão seus talentos e coloque-os para trabalhar em seu benefício.

A esta altura, se você estava se perguntando "E o meu talento em tudo isso, não conta?". É claro que conta – desde que você tenha em mente uma definição específica de *talento*, para não se perder em generalizações. Neste sentido, uma ótima definição – muito precisa e útil – é a estabelecida pela Gallup Consulting, uma empresa global de consultoria, com o objetivo de ajudar as organizações a gerenciar funcionários e clientes: "Talento é o nome que se dá à forma como cada um de nós pensa, sente e se comporta naturalmente, como um *indivíduo* único".

Este conceito de talento está na base da ferramenta mais famosa da Gallup Consulting, o *Clifton StrengthsFinder*, um questionário que avalia a personalidade de uma perspectiva predominantemente psicológica.

Especificamente, o *Clifton StrengthsFinder* mede a presença de talentos em 34 áreas gerais que recebem o nome de "temas", através de uma série de cerca de 180 itens em que aquele que responde deve escolher entre duas ca-

---

[4] Cohen, William A. *A Class with Drucker:* The Lost Lessons of the World's Greatest Management Teacher. New York: Amacom, 2008.

racterísticas "opostas". O objetivo é destacar os *cinco talentos principais*, dando a quem faz o teste a oportunidade de aprofundar esses temas[5].

Alguns exemplos:

*As pessoas que se destacam pelo talento da *realização* costumam ter muita perseverança e uma grande capacidade de trabalho. Em geral, mostram-se muito satisfeitas quando estão ocupadas e produtivas.

*Aquelas que se sobressaem no talento *prudência* têm como característica maior o extremo cuidado na hora de fazerem suas escolhas e tomarem suas decisões. Graças a isso, tendem a antecipar possíveis obstáculos.

*Pessoas que se destacam no talento *organização* sabem pôr as coisas em ordem, mas, ao mesmo tempo, têm flexibilidade que complementa e dialoga bem com esta capacidade. Em geral, gostam de descobrir como todos os recursos podem ser organizados de forma a gerar o máximo de produtividade.

*Já aquelas que têm entre seus talentos dominantes a *competição*, costumam medir seu progresso comparando-o ao desempenho das pessoas à sua volta. Esforçam-se para conquistar sempre o primeiro lugar e não se intimidam, pelo contrário, estimulam-se diante das disputas.

*As pessoas que se destacam no talento *adaptabilidade* tendem a "seguir junto com a maré", preferem se concentrar no "aqui e agora", aceitando as coisas do jeito que as recebem e vivendo um dia de cada vez.

E assim por diante.

Trocando em miúdos, pode-se dizer que aquilo que Peter Drucker já intuía acabou sendo comprovado na prática pelo *StrengthsFinder*: tomando consciência de seus pontos fortes, você pode alavancar melhor o seu talento – ou melhor, seus talentos (no plural).

Trata-se daquilo que nós sabemos fazer de melhor e, portanto, ficamos à vontade enquanto fazemos. Somos felizes trabalhando em áreas que valorizam e se beneficiam de nossos talentos naturais. E, normalmente, vamos realizar um trabalho bem feito – alimentando um ciclo virtuoso de satisfação e desempenho superior contínuo. Em outras palavras: devemos buscar posições, empresas e setores onde possamos brilhar com nossos talentos naturais.

5 Quer saber mais? Vá direto ao *link* do questionário na Gallup <http://strengths.gallup.com/default.aspx>.

Mas existem outras ferramentas que também podem ajudar muito neste processo de autoavaliação. Entre elas, está o MBTI.

O MBTI (*Myers-Briggs Type Indicator*) também conhecido em português como Classificação Tipológica de Myers-Briggs – é um excelente instrumento para identificar características e *preferências* pessoais. Ele foi desenvolvido durante a Segunda Guerra Mundial pela psicóloga norte-americana Katharine Cook Briggs (1875-1968) em colaboração com sua filha, a também psicóloga Isabel Briggs Myers (1897-1980), a partir da teoria dos tipos psicológicos do psiquiatra suíço Carl Gustav Jung[6] (1875-1951).

Identificar tipos psicológicos é justamente o objetivo central do MBTI, baseando-se na ideia de que os indivíduos sempre consideram algumas formas de *pensar* e *agir* mais fáceis do que outras e acabam por adotá-las. Seriam quatro pares de preferências – ou "dicotomias": extroversão/introversão; sensorial/intuição; razão/emoção; julgamento/percepção. A estas quatro dicotomias, corresponderiam 16 tipos psicológicos que, por sua vez, podem ser divididos em quatro grupos de temperamentos:

- Os *guardiões*: observadores e conservadores, têm como principais características serem calmos, passivos, mas, ao mesmo tempo, comunicativos e confiáveis.
- Os *artesãos*: se caracterizam como observadores e abertos a mudanças. Suas características principais são otimismo, autoconfiança e também indisciplina e imprevisibilidade.
- Já os *idealistas* seriam intuitivos e impulsivos. Suas principais características: são empreendedores, ambiciosos, líderes e dominadores.
- Finalmente, os *racionais* são intuitivos e sistemáticos, e se caracterizam por serem determinados, embora às vezes inseguros, e por serem criativos e extremamente sensíveis a tragédias e situações indelicadas, podem se tornar depressivos ou ansiosos.

Respondendo ao questionário do MBTI, você pode identificar o seu tipo psicológico e avaliar suas tendências[7].

---

6 JUNG, C. G. *Tipos psicológicos*. São Paulo: Zahar, 1967.

7 Para saber mais, visite o site <www.myersbriggs.org>. Acesso em: 16 jul. 2014.

Mas cuidado para não sair classificando as pessoas à sua volta, nem ficar se autorrotulando: seria um mau uso do MBTI. O importante, em tudo isso, é aprender a utilizar essas ferramentas para melhorar o autoconhecimento, definir o melhor direcionamento que você deve dar à sua busca (empresas e pessoas-alvo) e também para alavancar/monitorar o seu comportamento durante todo esse processo.

Escrevendo sua história (em algumas histórias)

Durante o processo de seleção (sobretudo nas entrevistas), o profissional de RH ou um representante do chefe procura identificar e avaliar o desempenho passado e o potencial de crescimento de cada candidato – as competências demonstradas em suas realizações são pistas de sua *performance* no futuro – e ver se ele se encaixa nas expectativas e necessidades da empresa. Mas, como ele não é um adivinho, sua preocupação é correr o mínimo de risco possível. Para isso, ele vai buscar apoio nas experiências anteriores dos candidatos.

Se você quiser se destacar neste cenário, é preciso que o relato de suas experiências anteriores seja a *tradução* mais completa de suas competências e um bom anúncio de sua *performance* potencial como candidato a futuro ocupante da vaga.

Aproveite então este momento inicial de autoconhecimento e escreva sua *história* profissional, ou melhor, escreva as *histórias* que você terá que contar muitas vezes, daqui para a frente, na hora de preparar o currículo e durante as entrevistas.

Mas atenção: contar histórias não é sinônimo de *inventar* ou *enfeitar* os fatos. Procure ser o mais direto e objetivo possível, evitando adjetivos e advérbios e destacando os *resultados* com *dados e fatos*. Para não correr o risco de se perder, siga este modelo bem simples:

- Descreva seu objetivo.
- Descreva os obstáculos ou desafios que precisavam ser superados.
- Descreva suas ações, passo a passo.
- Descreva o resultado alcançado.
- Demonstre este resultado com números.

Objetivo (O que você queria realizar?)	
Obstáculos (Que desafios, limites, dificuldades e barreiras você precisou superar para alcançar o objetivo desejado?)	
Ações (Descreva, passo a passo, tudo o que você fez para alcançar o objetivo)	
Resultado (Descreva o resultado finalmente alcançado)	
Medidas (Apresente números – dados ou fatos – que comprovem o resultado)	

E para que não reste nenhuma dúvida:

Objetivo:

Escreva aqui o resultado que você desejava obter, ou seja, a própria razão de ser do projeto ou tarefa executada. Por exemplo: se você atua em vendas ou marketing, o objetivo seria aumentar em *x* pontos percentuais a participação de determinado produto no mercado. Ou, se você é um gerente de contabilidade, reduzir o prazo de fechamento de cinco para três dias úteis.

Obstáculos:

Descreva aqui o tamanho do desafio e todas as dificuldades que você precisou superar. Afinal, um objetivo sem obstáculos é sinônimo de tarefa rotineira – e não será assim que você irá conseguir se destacar, não é mesmo? Portanto, dê preferência às experiências marcadas por verdadeiros desafios. Aprofundando os exemplos acima: descreva a difícil trajetória do produto (digamos que ele havia perdido alguns pontos percentuais para um produto estreante da concorrência).

Lembre-se: quando falar de dificuldades, principalmente aquelas não superadas, não culpe os outros ou as "circunstâncias". Assuma a responsabilidade de seus erros e insucessos.

Ações:

Concentre-se aqui nas ações que *você* realizou – e não nas da equipe ou de seu chefe. Também não se deixe levar por falsa modéstia ou timidez, nem tenha medo de parecer individualista ou arrogante. Lembre-se: neste processo, é você quem está sendo avaliado. É você que eles querem conhecer. Portanto, nada de dizer ou escrever "nós" ou "eles"; use a primeira pessoa do singular. Seja específico, sucinto – e vá direto ao ponto. Usando os mesmos exemplos: "Reduzi os preços para os distribuidores, para que eles pudessem trabalhar com uma margem maior. Assim, aumentei os volumes vendidos"; "Criei uma inovação (descreva-a) para o produto que foi percebida como vantagem e valor agregado pelo consumidor final".

Resultado:

Descreva os resultados obtidos com as ações implementadas. Seguindo o exemplo: informe que "o produto recuperou os pontos percentuais perdidos" (quantos? – seja específico) e "aumentou sua participação no mercado" (ou não?!), ou, "as mudanças de procedimentos contábeis deram bons resultados temporários". Não é fundamental que todas as suas experiências tenham sido bem-sucedidas – e você não deve, necessariamente, esconder as malsucedidas. Certamente, você não irá incluí-las no currículo, mas esteja preparado para fazer um comentário positivo sobre elas, durante a entrevista, caso venham a ser abordadas. O mais importante é demonstrar capacidade de assumir a responsabilidade por falhas e erros, e reconhecer que houve aprendizado. Isso é sinal de maturidade e mostra que você (com uma boa margem de certeza) não cometerá de novo o mesmo erro novamente.

Medidas:

Traduza os resultados em números e cifras facilmente verificáveis. Exemplos: no fim de seis meses, a participação do produto no mercado já havia subido *x* pontos percentuais.

Lembre-se: este exercício é para seu uso exclusivo – e o propósito é melhorar o autoconhecimento.

Agora que você já aprendeu o modelo, mãos à obra:

Escreva duas ou três histórias, referentes a cada empresa onde você trabalhou, ou a cada função que exerceu, nos últimos anos, cada uma delas com seus *objetivos, obstáculos, ações, resultados* e *medidas.* Use sempre frases claras, curtas e objetivas. Em seguida, analise estas histórias, procurando os *padrões* e os *pontos em comum*: situações, pessoas, desafios, ferramentas, soluções, seu modo de agir... Reflita atentamente e no fim das contas responda: quais características *suas* aparecem com mais frequência ou em *todas* as histórias?

Pois bem: essas são as suas *competências,* os seus *pontos fortes* – que podem ser transferidos para qualquer situação ou empresa. Agora é só colocá-los em ordem de importância, ou de prioridade para você, destacando aquelas que gosta e utiliza muito bem. Se for preciso, reescreva algumas histórias, enfatizando suas competências essenciais prediletas. Afinal, você está em busca de um trabalho novo, que valorize e dê oportunidade justamente àquelas competências capazes de garantir sucesso em qualquer situação ou empresa, porque são *pessoais*, mas *portáveis* para qualquer tipo de empresa ou negócio.

Utilize também estas histórias (que, afinal, contam a *sua* história) para identificar outros aspectos fundamentais para o seu processo de busca. Olhando assim "de fora" para você mesmo, vai ser possível identificar uma série de preferências por certas empresas ou setores de atividade, por determinado tipo de pessoas, por estes (e não outros) valores e culturas, por condições de trabalho e níveis de responsabilidade bem específicos.

Esteja ainda preparado para eventuais surpresas, que podem se traduzir em mudanças decisivas na carreira. Para você não pensar que é exagero, aqui vai uma história bem ilustrativa:

Um amigo, consultor de recolocação, estava assessorando um profissional cujo currículo tinha sido construído na área de vendas de grandes corporações. Experiente e já maduro, ele foi dispensado de uma empresa que passava por um processo de fusão e, como sempre acontece em casos assim, algumas posições se superpõem e alguém acaba sobrando. Ficou um longo período tentando uma posição de vendas – e, como não conseguiu, recorreu ao consultor para saber o que ele estava "fazendo de errado".

O inventário das competências deste profissional (no caso, sua grande capacidade de empatia, seu poder de negociação e influência, a credibilidade, a larga experiência em produtos de primeira linha, entre outras) levaram o consultor a uma sugestão: como grande *vendedor*, aquele profissional interagiu constantemente com muitos compradores de grandes empresas – e conhecia os procedimentos da função. Sendo assim, por que ele não poderia se tornar um excelente... *comprador*? Afinal, competências essenciais são *transferíveis*, lembra-se?

No primeiro momento, ele reagiu, imaginando que não saberia (nem gostaria de) ocupar uma posição de compras. No passado, costumava ver os compradores como rivais. Depois, analisando melhor suas competências, já começou a se sentir "em casa" – e acabou aceitando passar para o outro lado da mesa. Em pouco tempo, ele reformatou o currículo, preparou-se para as entrevistas e conseguiu uma posição de comprador, onde hoje está feliz e realizado.

Nunca subestime a riqueza de informações que um bom inventário de competências pode trazer para a sua busca rigorosa e sistemática do emprego que você tanto almeja – em outras palavras, para a sua realização. Sabendo o *que* você quer, fica mais fácil saber *onde* procurar. Concentrar-se nas empresas certas, pesquisar a respeito delas: eis o melhor caminho para ter acesso às melhores vagas, que nem chegam a ser anunciadas.

Os verbos do trabalho

É no exercício diário da profissão que nossas competências são postas em prática (e testadas), através de uma série de ações – os chamados "verbos do trabalho". Um inventário de competências não pode deixar de fora uma lista dessas ações para ajudar você a passar em revista seus *pontos fortes e seus pontos fracos.*

Certamente, cada atividade tem sua própria lista de verbos – mas a relação abaixo pode ser um bom começo:

Agilizar	Ampliar	Analisar	Antecipar	Aperfeiçoar
Aprender	Apresentar	Aprimorar	Aprovar	Atribuir
Aumentar	Avaliar	Avançar	Buscar	Colaborar
Comparar	Compartilhar	Competir	Complementar	Comprar
Comunicar	Concluir	Concorrer	Consolidar	Contratar
Controlar	Convencer	Cooperar	Coordenar	Corrigir
Criar	Cumprir	Decidir	Definir	Delegar
Demonstrar	Descentralizar	Descobrir	Desenvolver	Diagnosticar
Dirigir	Ensinar	Estabelecer	Estruturar	Executar
Facilitar	Focar	Fomentar	Formatar	Fundir
Gerenciar	Identificar	Implantar	Implementar	Improvisar
Incrementar	Influenciar	Informar	Iniciar	Inovar
Intermediar	Intervir	Julgar	Liderar	Lucrar
Manobrar	Manusear	Motivar	Multiplicar	Negociar
Observar	Operar	Ouvir	Organizar	Participar
Perseverar	Pesquisar	Planejar	Posicionar-se	Prevenir
Promover	Propor	Prospectar	Prosperar	Quantificar
Questionar	Realizar	Recusar	Reduzir	Reproduzir
Resolver	Servir	Simplificar	Sintetizar	Solucionar
Sugerir	Supervisionar	Transformar	Treinar	Vender

Valores: o que as empresas estão procurando?

"Nosso principal ativo é nossa gente. Por isso procuramos pessoas que sonham grande. Gente com visão empreendedora e atitude de dono da companhia. Queremos pessoas com brilho nos olhos, interesse em crescer e desenvolver suas habilidades constantemente."

João Castro Neves, Diretor Geral da Ambev

"Buscamos manter na equipe pessoas dinâmicas, comprometidas e motivadas, que estejam extremamente bem preparadas, sejam agressivas e saibam surpreender, pois vão participar do momento mais competitivo que já tivemos."

Luiz Carlos Trabuco Cappi, Diretor Presidente do Bradesco

"Procuramos pessoas que tenham prazer em compartilhar e criar conhecimento. Ou seja, profissionais motivados a continuar sempre aprendendo e dispostos a ensinar aquilo que já sabem dentro de um ambiente de cooperação e camaradagem."

Daniel Moczydlower, Presidente da Chemtech

"O Google é uma empresa focada na inovação, desde o desenvolvimento de produtos até a gestão e a condução dos negócios. Procuramos pessoas capazes de lidar com o novo, de aprender e evoluir. Não podem faltar bom humor e habilidade para trabalhar em equipe."

Fábio Coelho, Diretor Geral do Google

"Incentivamos o autodesenvolvimento e investimos na capacitação dos funcionários para que possam elaborar planos de carreira consistentes. Nossa estratégia é valorizar quem já faz parte da equipe. Procuramos profissionais motivados s e criativos."

Luíza Helena Trajano Rodrigues, Presidente do Magazine Luíza

"Procuro pessoas que tenham vontade de crescer e adquirir conhecimento. Que possam identificar os desafios e agir com determinação, sem perder a alegria e trazendo sempre um sorriso no rosto."

Marcelo Rabach, Presidente do McDonald's

"É essencial ter brilho nos olhos para trabalhar na Microsoft. O sucesso de uma empresa depende de pessoas apaixonadas pelo que fazem. Valorizamos a integridade, a honestidade, o crescimento pessoal contínuo, a abertura e o respeito mútuo."

Michel Jacques Levy, General Manager Brazil da Microsoft

"Claro que buscamos selecionar profissionais com base em padrões preestabelecidos de qualificação, formação e comportamento. Mas damos atenção especial aos valores que formam a personalidade de quem trabalha conosco. Eles devem ser próximos aos nossos."

Celso Corrêa de Barros, Presidente da Unimed Rio

Teste seu discurso de venda

As ferramentas apresentadas neste capítulo têm por objetivo ajudá-lo a relatar suas realizações profissionais (construir suas histórias) e, nesse processo, identificar suas competências essenciais, aquelas que o farão único na visão de entrevistadores e donos de vaga.

a. Você utilizou os exercícios do capítulo para revelar suas competências essenciais? Você identificou seus talentos através do StrengthsFinder?

b. Você identificou seus talentos através do StrengthsFinder?

c. Você usou o MBTI a fim de aumentar o seu autoconhecimento?

d. Você preparou uma descrição de suas principais realizações profissionais?

e. As citações dos presidentes de empresa serviram de provocação e o levaram a alguma reflexão pessoal?

f. Ficou claro o que você faz bem e o que você gosta de fazer?

g. Quais são os setores de atividade e empresas que podem se beneficiar de seus talentos?

h. E como tudo isso se traduz em como você quer se mostrar no mercado de trabalho? Seu discurso de venda já está estruturado?

Refletir sobre esses temas é a parte fácil. Agora vem o mais difícil: o verdadeiro teste acontece ao relatarmos nossas histórias para terceiros. Portanto, sente-se na frente de um amigo, e conte para ele o seu objetivo profissional e as histórias que sustentam essa aspiração.

a. Seu objetivo profissional está bem elaborado?

b. Você fala de forma articulada sobre suas características pessoais, seus pontos fortes, seus pontos a desenvolver, suas conquistas profissionais, seus erros e o que você aprendeu com eles?

c. O que faz de você um bom candidato?

d. O relato de suas conquistas e resultados profissionais ilustram as competências essenciais que o destacam dos demais profissionais do mercado?

e. As suas histórias incorporam os "verbos do trabalho"?

Em resumo, você sabe o que quer e sabe descrever como as suas competências essenciais o fazem um profissional único e ideal para solucionar todos os problemas do dono da vaga do emprego dos seus sonhos?

Capítulo 4

Networking: a boa maré depende da sua "rede"

Existe um jogo na internet cujo objetivo é relacionar qualquer ator ou atriz de cinema ao astro norte-americano Kevin Bacon, através de filmes que eles tenham realizado e atores que integrem o elenco. A brincadeira – *The Oracle of Bacon* (O Oráculo de Bacon) – nasceu de uma constatação: graças à intensa atividade do astro, seriam necessárias apenas quatro etapas (seis, no máximo) para ligar qualquer ator ou atriz a ele[1]. Um exemplo aparentemente improvável: a brasileira Fernanda Montenegro está ligada a Kevin Bacon por apenas duas jogadas. Ela trabalhou em *Love in the time of cholera* (*O amor nos tempos do cólera*, de Mike Newell, 2007), ao lado de Benjamin Bratt, que trabalhou em *The woodsman* (*O lenhador*, de Nicole Kassell, 2004) junto com... Kevin Bacon.

Por trás da brincadeira, está um conceito criado em 1967 pelo psicólogo norte-americano Stanley Milgram (1933-1984), e que se aplicaria não só a um astro como Kevin Bacon, mas a qualquer um de nós. Segundo ele, existem apenas seis graus de separação (*six degrees of separation*) entre dois indivíduos *quaisquer* do planeta. Ou seja, você conhece alguém, que conhece alguém, que conhece alguém, que conhece alguém, que conhece alguém... que conhece qualquer outro indivíduo da face da Terra – inclusive Kevin Bacon.

A ideia foi popularizada pela peça *Six degrees of separation* (*Seis graus de separação*), de John Guare, e acabou virando filme homônimo em 1993, com Will Smith e Donald Sutherland (ambos ligados a Kevin Bacon por apenas duas "jogadas"). E Brett Tjaden, um cientista da computação da Universidade de Virgínia, criou esse jogo com Kevin Bacon na internet.

Existem no máximo seis pessoas entre você e o presidente dos Estados Unidos. Ou entre nós dois, leitor. Experimente você mesmo: comece com um conhecido, um membro da sua rede atual de contatos; o segundo passo é um conhecido deste conhecido – e assim por diante. O mundo é mesmo menor do que a gente pensa.

Mais do que o aspecto geográfico, o interessante aqui é apostar na ideia de que você pode encurtar a distância entre as pessoas – e chegar àquela que interessa, na busca do emprego que deseja. Para isso, não é preciso recorrer a nenhum jogo ou brincadeira, mas a uma ferramenta muito séria e eficiente: o *networking*.

---

[1] O link é: <http://oracleofbacon.org/index.php>. Acesso em: jul. 2013.

NETWORKING: QUEM TEM BOCA VAI A ROMA

Com quantas pessoas você precisa interagir para chegar até o Papa? O consultor de *outplacement* José Augusto Minarelli costuma usar este exemplo em suas palestras sobre a importância de se manter uma boa rede de relacionamentos – e, segundo ele, sempre aparece alguém capaz de fazer a conexão quase imediata com o Vaticano[2]. (Falando nisso, eu mesmo precisei de apenas uma: meu filho estudou num colégio católico do Rio, e um de seus professores havia trabalhado em Roma com Bento XVI, na época ainda o Cardeal Joseph Ratzinger, camerlengo[3] do Papa João Paulo II...)

Tudo isso é *networking* – mas, afinal de contas, o que é *isso*?

> Trata-se de um nome recente para uma ideia bem antiga: fazer amigos e se relacionar com pessoas. Inspirado na informática e composto pela palavra *net* (rede) e pelo gerúndio do verbo *work* (trabalhar), o termo designa justamente o trabalho de criar, desenvolver e manter uma rede de contatos e relacionamentos que possam ajudar você em seus objetivos profissionais e pessoais. Procurar um emprego, dar uma guinada na carreira, conseguir um bom encanador ou conquistar uma nova namorada – todas essas demandas, acredite, podem ser facilitadas através do *networking*.

Nomenclatura à parte, o fato é que nada disso constitui propriamente uma "novidade": o jargão pode ter poucos anos de uso no meio corporativo, mas a essência do conceito acompanha a própria história do homem. Todos nós nascemos dentro de uma família, que por sua vez pertence a diversas comunidades (o bairro, a paróquia, a cidade, a pátria). E, ao longo da vida, vamos também nos incorporando a outras *comunidades*, *tribos* e *famílias*, seja na própria rua, na escola, no clube e, principalmente, no exercício da profissão – talvez a mais constante e prolongada de todas.

---

[2] Cf. MINARELLI, José Augusto. *Networking*: como utilizar a rede de relacionamentos na sua vida e na sua carreira. São Paulo: Gente, 2001.

[3] Cardeal designado para desempenhar interinamente as funções do papa e governar a Igreja entre a morte de um pontífice e a eleição do sucessor.

Certamente, a informática e a banda larga trouxeram mais agilidade (e uma dose de *glamour*) à comunicação entre as pessoas. Mas não se deve confundir internet com *networking* – que sempre foi essencialmente uma prática *presencial*, ou seja, baseada no contato imediato, ao vivo e a cores, entre pessoas de "carne-e-osso".

A ideia, por trás de tudo isso, é a de que cada um de nós constrói sua rede específica (e cada vez mais ampla) de relacionamentos, e com ela estamos sempre trocando informações, emoções e favores. É o chamado *capital social*, um bem intangível, mas precioso, que nos mantém integrados à humanidade, a apenas seis graus de separação de qualquer outro ser humano – seja o papa, Kevin Bacon ou o responsável pela vaga que você almeja preencher.

Há uma série de definições para *capital social*, que variam de acordo com os autores. Mas, em linhas gerais, a expressão define o conjunto das conexões internas e externas de uma rede de relacionamentos. E, assim como a ideia de *networking*, ela também não nasceu agora: o primeiro uso explícito deste conceito remonta a 1916, e se deve ao educador norte-americano L. J. Hanifan (1879-1932), que era supervisor estadual de escolas rurais no estado da Virgínia Ocidental. Ao ressaltar a importância do envolvimento da comunidade para os bons resultados escolares, Hanifan invocou a ideia de "capital social", referindo-se às coisas intangíveis que são decisivas para o dia a dia: boa vontade, amizade, solidariedade e interação social entre os indivíduos e as famílias. Ou seja, trata-se de uma coisa que se pratica desde que o mundo é mundo: gente se relacionando com gente.

Mas, se a ideia do *networking* é simples, sua prática envolve certa complexidade. Embora seja múltipla e poderosa (ou melhor, *justamente por isso*), trata-se de uma ferramenta que depende de pesquisa, planejamento e dedicação. E também de uma boa dose de paciência (como, aliás, quase tudo na vida): alguns contatos não vão poder ajudar imediatamente, mas constituem futuras fontes potenciais de referência como integrantes da sua rede de relacionamentos. Ou seja, dá trabalho. Mas, convenhamos, qualquer investimento exige um tempo para se plantar e um tempo para se colher. Com o *capital social*, não é diferente. É um patrimônio que você vai acumular ao longo da vida inteira.

Antes de mais nada: "Não seja idiota!"

Calma, leitor. Não precisa ficar assustado nem se sentir ofendido: eu explico. Sabia que o adjetivo *idiota* – que os dicionários definem como "pessoa que carece de inteligência, de discernimento; tolo, ignorante, estúpido" – tinha, originalmente, um outro sentido? A palavra vem do grego *idiótes*, que significava "aquele que só vive a vida privada" e, por extensão, "aquele que vive fechado dentro de si e só interessa pela vida no âmbito pessoal".

Descobri isso lendo *Pais e Educadores de Alta Performance*[4], do escritor Içami Tiba, que por sua vez aprendeu com o educador Mário Sérgio Cortella, em *Política para não ser idiota*[5]. Tudo isso tem muito a ver com nosso caso: para conseguir o emprego que você tanto deseja, a primeira coisa a fazer é "não ser idiota", quer dizer: não viver olhando para dentro de si mesmo. E o melhor caminho para isso é, justamente, fazer *networking*.

Infelizmente, a tendência natural de uma pessoa desempregada é ficar se sentindo um pouco envergonhada – e, por conta disso, tender a se fechar e desaparecer. Mas é uma atitude muito errada: você deve fazer exatamente o contrário. Porque ver e ser visto é o segredo para o bom *networking*. Vá a todos os eventos que estiverem ao seu alcance: chope com os amigos, encontros corporativos, cursos, festinha de criança, aniversário da sogra – até a enterros, sem nenhum exagero... E deixe todos saberem que você está procurando uma nova posição no mercado de trabalho.

Para o bem ou para o mal, já vai longe o tempo em que mudar de emprego ou ser demitido era um acontecimento raro. Pessoas e empresas já não são assim tão "leais" como no passado. Com as fusões, aquisições, crises econômicas, e a pressão por resultado, pode acreditar: demitir e "chutar o balde" tornaram-se atitudes mais comuns. E, ao contrário do que muita gente ainda pensa, isto é bom e saudável: as pessoas estão se desapegando do sobrenome empresarial e colocando o trabalho na devida dimensão dentro de suas vidas pessoais. Se ainda não foi demitido, acostume-se: um dia você também será.

---

4 TIBA, Içami. *Pais e educadores de alta performance*. São Paulo: Editora Integrare, 2010.

5 CORTELLA, Mário Sérgio; RIBEIRO, Renato Janine. *Política para não ser idiota*. São Paulo: Papirus, 2011.

Acostume-se também a este fato: viver se relacionar com os outros – e cada um de nós faz isso o tempo todo. Mas, praticando o *networking* de forma consciente e sistemática, você pode potencializar seus laços pessoais e profissionais, entrando em contato com novas pessoas e reforçando os vínculos com os velhos amigos e conhecidos. No que se refere especificamente à busca do emprego dos seus sonhos, o *networking* vai lhe permitir, por exemplo:

- **Identificar indivíduos-alvo.** Para conquistar a vaga tão desejada, você precisa estabelecer contato com pessoas bem específicas: futuros chefes, futuros colegas de trabalho, *headhunters* e profissionais de RH – enfim, uma série de pessoas com poder de influência ou de decisão nas empresas a que você almeja, ou nas consultorias de recrutamento que trabalham para elas.
- **Aumentar sua visibilidade.** Incorporando novos contatos à sua rede, você conhece mais pessoas e, com isso, vai se tornando mais conhecido. E a melhor maneira para isso é conseguir, a cada novo contato, o nome de mais duas ou três pessoas interessadas em fazer *networking* com você. Outras maneiras de aumentar a visibilidade são: participar de encontros e concursos de associações profissionais; escrever artigos para revistas dirigidas ao seu setor de atuação, ou dar aulas e palestras; realizar trabalhos voluntários; defender uma causa; manter um *blog*; fazer cursos (sendo aluno atuante, através de perguntas, trabalhos em grupo e da ajuda solícita aos colegas e professores).
- **Procurar oportunidades.** Através do contato permanente com os integrantes de sua rede de relacionamentos, você obtém novas oportunidades de contatos – em empresas-alvo, consultorias e escritórios de *headhunters*, mas também com pessoas que podem fornecer informações a respeito de posições em aberto, ou ajudar você a publicar aquele artigo ou dar uma palestra. Sua rede (quer dizer, você) só tem a ganhar com estas iniciativas.

Foi conversando com as pessoas (por telefone e, sempre que possível, pessoalmente) que consegui mapear o segmento de mercado que me interessava explorar, tendo acesso às informações sobre *todas* as posições em aberto a que poderia concorrer. Mas não subestime a importância das horas dedicadas às leituras: além de livros e artigos técnicos específicos, ligados à sua profissão (no meu caso, Recursos Humanos), os cadernos de Economia dos jornais e as revistas especializadas são uma fonte imprescindível – desde que você saiba filtrar (quer dizer: *interpretar*) as informações.

Um exemplo:

A coluna Trapézio[6], da revista *Exame*, costuma noticiar aquilo que eu chamo de "dança das cadeiras" dos executivos das grandes empresas: ali, ficamos sabendo que certo profissional assumiu a presidência, ou determinada diretoria desta ou daquela empresa. Cabe a você fazer a melhor leitura desta informação – e, por sinal, há várias formas para isso. Uma delas: se um executivo assumiu uma posição nova, pode estar precisando de pessoas para compor uma nova equipe ou, no mínimo, para fazer algumas substituições. Outra: se ele assumiu aquele novo posto na empresa, o cargo de onde saiu (informação que a coluna costuma trazer) certamente ainda está vago.

Caso a vaga em aberto lhe interesse, você terá algum tempo (mas não *muito*) para se movimentar. Comece tentando descobrir o responsável pelo processo de seleção que já deve estar em andamento. Pode ser uma consultoria, um *headhunter* – mas, certamente, você não verá esta vaga anunciada em classificados, não é mesmo? Ter um bom currículo, estar bem preparado para as entrevistas e as outras etapas do processo de seleção, trazer as histórias de suas competências na ponta da língua – tudo isso é fundamental. Mas a diferença está em conseguir mostrar isso à pessoa certa, na ocasião oportuna. Não basta ser o *melhor* candidato, em meio a candidatos também muito capacitados: é preciso que seu futuro chefe – personagem decisivo nesta história – saiba disso.

> Conhecer as pessoas certas, mas também ser *conhecido* por elas: eis o segredo do *networking*, que você precisa pôr em prática a seu favor. Antecipar-se às necessidades do mercado – e, em particular, das empresas onde você pretende trabalhar – só é possível através de uma boa rede de contatos. Só tendo acesso a informações restritas ao âmbito da organização você vai estar "por perto" (atento e disponível) na hora em que a vaga surgir. E você já sabe: quanto maior a sua rede de contatos e informantes, maiores as suas chances.

Mas, para chegar lá, existe um caminho longo e complexo a ser percorrido e lembre-se: você *já* está atrasado.

1. *Primeiro passo: o tamanho da sua rede atual*

Uma boa *network* não nasce de uma hora para outra: é o resultado dos laços estabelecidos ao longo de toda uma vida – e isso depende não apenas de

[6] Infelizmente, a coluna foi descontinuada pela revista em julho de 2016. Na época, os autores prometeram retornar em versão eletrônica.

idade, mas também de temperamento, oportunidades, dedicação e uma série de outros fatores.

Talvez você não consiga rastrear todo o histórico da sua rede, mas neste momento de busca você pode (e deve) calcular o tamanho e o alcance que ela tem. Uma coisa é certa: por mais "otimista" que seja, você sempre vai ficar surpreso (no melhor sentido) com a quantidade de pessoas com que poderá contar. A lista abaixo pode ajudar a desenhar sua rede atual:

- Colegas e (ex-colegas) de trabalho: Com quem você trabalhou nos últimos cinco anos? Priorize as pessoas (chefes, pares, subordinados, pessoal do RH) com quem você manteve um bom relacionamento e um contato mais próximo.
- Ex-funcionários de sua atual empresa (caso você esteja empregado).
- Clientes: Quais foram os mais importantes nos últimos cinco anos?
- Fornecedores: Quais foram os principais nos últimos cinco anos?
- Esporte e lazer: Liste os nomes de seus colegas da academia de ginástica e de clubes esportivos que você e seus filhos frequentam.
- Consumo: Liste os donos ou gerentes de estabelecimentos comerciais onde você compra.
- Concorrentes: Liste os nomes de seus companheiros de profissão (pessoas que executem as mesmas tarefas em empresas concorrentes do mesmo setor).
- Contatos sociais: Liste aqui as pessoas que você conhece na escola dos seus filhos, vizinhos, os frequentadores de sua igreja, colegas de trabalho voluntário ou comunitário, os pais dos amigos de seus filhos, e assim por diante.
- Família: Que parentes poderão ajudar?
- Amigos: Quais, entre eles?
- Associações profissionais: Liste as pessoas que você conhece nas entidades voltadas a promover a troca de informações, tecnologia ou elevar os padrões da profissão. (Exemplos: Associação Brasileira de Recursos Humanos, Instituto Brasileiro de Petróleo e Gás, Clube de Engenharia, etc.)
- Associações de ex-alunos (da universidade ou escola).
- Seus ex-professores.

Viu só? Cá entre nós, você pensava conhecer tanta gente assim?

Não duvide: sua rede de contatos abrange pessoas que você nem imaginava. A partir do momento em que forem acionadas, elas passarão a ser suas *antenas* – ou (como se diz no meio esportivo) seus *olheiros* permanentes. Motivadas pelos laços de amizade, simpatia recíproca ou interesses em comum, estarão atentas e dispostas a identificar oportunidades para você e lhe passar todas as informações adequadas a que tiverem acesso. São pessoas que, a partir de agora, vão telefonar quando souberem de novidades – ou que terão sempre algo para lhe contar, quando for você a ligar.

Eis aí um ponto importante: uma *network* tem que ser alimentada por contatos permanentes, espontâneos e motivados. Não cometa o erro de alimentar um contato por mero interesse imediatista e depois nunca mais aparecer (ou, pior ainda: só voltar a fazer isso quando precisar novamente).

Claro que nem sempre você terá tempo para fazer acompanhamento regular com *todos* os seus contatos. Para otimizar sua rotina e agilizar a busca do emprego dos seus sonhos, será preciso estabelecer prioridades. Sendo assim, a questão passa a ser: em *quem* você deve se concentrar?

A primeira sugestão é óbvia: concentre-se naquelas pessoas que, confirmadamente, respeitem e admirem você, em termos profissionais e pessoais. A segunda sugestão: dê preferência às que atuem em áreas relevantes para o seu processo de busca. E, tanto num caso quanto no outro, priorize sempre aquelas cuja recomendação venha a ter mais peso num processo de seleção ou como intermediária para um novo contato.

Uma boa referência pode abrir muitas portas – e isso não acontece por acaso, afinal, ninguém se arrisca a recomendar uma pessoa que não seja de fato *muito boa* em sua área de atuação. Sobretudo porque a credibilidade de quem recomenda foi construída assim, através de informações exclusivamente verdadeiras.

2. *Segundo passo: como chegar aos indivíduos-alvo*

Todo bom caçador sabe que não basta escolher um alvo. Para acertar sempre é preciso definir também a abordagem, a quantidade de munição e a hora certa de atirar. Numa "caçada" mais sutil como a sua, é preciso tomar ainda mais cuidados, para não errar o *tiro* nem provocar *estragos*...

Procure estabelecer uma estratégia de abordagem (de preferência para cada indivíduo-alvo):

- Quantos níveis de contato preciso atravessar até chegar à pessoa desejada?

- Entrar em contato diretamente ou através de recomendação?
- Contatar pessoalmente ou por telefone?
- Escolher o momento ou esperar a "casualidade" de um encontro fortuito, numa palestra, curso ou evento social?

Prepare alguns roteiros de apoio para este encontro. Não tenha medo ou inibição de ensaiar com os mais íntimos ou mesmo sozinho, diante do espelho. Verifique também sua *munição* – sobretudo a emocional. Além da timidez e da introversão (sobre isso, vamos falar mais adiante, neste capítulo), um obstáculo bastante comum é o chamado "medo da rejeição". Certamente, este é um fator relevante no plano amoroso ou afetivo em geral – mas, para a busca sistemática do emprego que você almeja, você precisa reservar uma boa dose de racionalidade e sangue-frio. Afinal, o que poderá acontecer *de pior*? Alguém que você mal conhece bater o telefone na sua cara?! Rirem de você?! Chamarem você de ridículo?! E, se isso acontecer, você acha que pode ser tão "fatal" assim?! Fala sério...

Por isso é tão importante estar bem estruturado emocionalmente, com apoio da família e dos amigos, para que os eventuais tropeços não interrompam sua busca – e isto, sim, é que conta. Lembre-se: por mais íntimos que sejam os laços e conexões de uma rede de contatos, nem tudo é estritamente *pessoal*. Mesmo que algum contato rejeite sua oferta (quer dizer, seu trabalho), ele não está, necessariamente, rejeitando *você*.

Na verdade, a única *certeza* que você pode ter, em casos assim, é: se você não tentar, realmente não irá conseguir nada. Procurar trabalho *dá* trabalho – nunca é fácil.

3. *Terceiro passo: sua estratégia de 'promoção e venda'*

Pessoas *não* são mercadorias – e, em termos gerais, não se encontram à venda. Mas, no caso específico da busca de uma nova posição, você só tem a ganhar se construir uma boa estratégia de promoção e venda de suas competências.

A Antropologia costuma definir as relações humanas em geral (e não apenas as comerciais) como sistemas de *troca*. É isso, afinal, o que acabamos fazendo todo o tempo: trocamos sorrisos, afetos, favores, bens, informação... Na hora de fazer *networking* e acionar sua rede de relacionamentos, não custa pensar: se você está pedindo, terá mais chances de conseguir se também oferecer algo de bom *em troca*.

Num sentindo mais amplo, isso funciona assim: você não está "pedindo emprego", e sim *oferecendo* sua experiência e seu talento às empresas. Mas talvez isso não seja suficiente, no plano específico de cada entrevista ou encontro com os novos contatos. Procure ter sempre na manga algo para trocar – uma informação, um favor ou coisa que o valha. Lembre-se de que você não estará fazendo nada de errado (desde que se comporte com elegância e discrição): é assim que o mundo funciona.

Mas atenção: se você ainda não definiu o que quer e tem apenas uma vaga ideia do que está procurando, corre o risco de apenas "desgastar uma relação". Afinal, em vez de solicitações objetivas, você no máximo vai conseguir dizer: "Perdi o emprego". Ou: "Estou procurando uma nova oportunidade". Ou ainda: "Me avise se você souber de algo interessante". Como assim? Quando souber do quê? E o que é mais grave: *quem tem que fazer o "trabalho pesado" é você*, e não seus contatos. Portanto, faça o dever de casa antes de ativar a rede. Ninguém vai poder fazer isso por você.

Depois de ter clareza sobre o que você tem a pedir e a oferecer em troca, sua preocupação seguinte será: não deixar seu contato em situação embaraçosa ou desagradável – principalmente se for um *novo* contato. Por exemplo: nunca saia perguntando se existe uma posição para você nesta ou naquela empresa. Além do constrangimento de uma negativa curta e direta, isso não rende muito assunto para o diálogo, não é mesmo? A conversa poderá ser muito mais proveitosa se for conduzida de outra forma: "Você me conhece e sabe da minha experiência. Gostaria do seu conselho: acha que devo entrar em contato com a empresa XYZ? Que outras empresas você recomendaria que eu procurasse?" Outra maneira pode ser: "Tenho muito interesse pela indústria de cosméticos e pela posição que você ocupa – é um ponto de vista privilegiado. Tenho muito interesse em ouvir suas opiniões a respeito desta indústria".

Percebeu a diferença? No fim das contas, você está passando o *mesmo* recado – e não está pedindo emprego, mas uma simples informação. Se seu contato tiver informações concretas (inclusive uma vaga em aberto que pode interessar), não tenha dúvida: ele não vai sonegar a ajuda. Ele não se sentiu ameaçado com sua pergunta, nem preso a qualquer obrigação – e homens livres negociam (*trocam*) muito melhor.

É claro que essa troca de informações precisa ser mais extensa – e, em alguns pontos, bem mais específica. Afinal, seu objetivo em cada uma dessas conversas, reuniões ou entrevistas é descobrir *onde* procurar as melhores oportunidades, e *com quem* falar a respeito. Pergunte, por exemplo:

- Quem são seus principais clientes?
- Quem são seus principais concorrentes?
- O que está acontecendo no mercado?
- Como sua empresa está se posicionando diante dos desafios atuais?
- Quais são as pessoas mais influentes do setor?

Esta *estratégia positiva* vai lhe abrir novas portas, pois esses contatos naturalmente oferecerão novos nomes, e assim por diante. Mas nem pense em arriscar estes novos contatos sem pedir permissão expressa para falar "em nome de" quem indicou. Afinal, ao usar seus contatos, você está representando aquela pessoa.

Outro ponto importante: esteja sempre atento às necessidades de seu interlocutor – e em como você pode ajudá-lo. Se puder, ofereça explicitamente esta ajuda: no fim das contas, será uma excelente moeda de troca. Mas pense sempre nestas palavras (moeda, troca, promoção, venda) num sentido mais amplo e metafórico. Ou seja: não fique esperando nada em retorno. Acredite: ela virá a seu tempo.

Tenha sempre em mente também que, ao contrário do que em geral se pensa, ouvir não é uma atitude passiva: é preciso *saber* ouvir – e, principalmente, demonstrar que se está ouvindo e prestando atenção no interlocutor. Durante os contatos pessoais de *networking*, procure sempre usar expressões e palavras que confirmem sua atenção e seu interesse: "Hum hum", "Entendo", "Sei" – e assim por diante. Pontue discretamente o diálogo com perguntas que possam esclarecer suas dúvidas mas que, ao mesmo tempo, repitam as palavras de seu interlocutor: é uma forma (acredite: infalível!) de demonstrar que você está atento.

Procure sempre sentir a "atmosfera" do encontro, em vez de querer ditar o ritmo. Quando seu interlocutor demonstrar entusiasmo, procure explorar isso, mantendo a mesma sintonia. E nunca se precipite: perceba as inflexões e valores subjacentes às respostas, e então acompanhe. Dê valor ao silêncio. Desligue-se dos próximos compromissos e do mundo lá fora: esteja, enfim, *100% presente*. Lembre-se: você não conseguirá ouvir com atenção se estiver preocupado com seu próprio movimento, ou pensando na próxima pergunta a fazer. Deixe a coisa fluir.

Por fim, mais algumas *dicas estratégicas* para você pôr em prática no primeiro contato:

- Certifique-se de estar falando com a pessoa certa – e verifique se ela tem tempo para atender você naquele momento (quando o contato for por telefone);
- Mencione qualquer conexão que possa existir entre vocês: por menor que ela seja, sempre ajuda a quebrar o gelo;
- Mencione a pessoa (ou pessoas) que o recomendou, sempre com autorização prévia, é claro;
- Diga com clareza *por que* está recorrendo a ele;
- Seja bem objetivo ao explicar o que está procurando: informação, encontro ou novos contatos;
- Solicite (sempre com gentileza) o que você quer;
- Se tiver perguntas a fazer, não se acanhe: pergunte;
- Aproveite a oportunidade para falar sobre suas competências essenciais e suas realizações;
- Combine a forma (e a data) do próximo contato entre vocês.

Mas... como saber se seu *networking* está funcionando? Se você fizer o dever de casa direito, em pouco tempo os primeiros resultados vão começar a aparecer: você vai ter acesso a mais informações (e com muito mais frequência) e vai saber o que está acontecendo no mercado, em termos de oportunidades disponíveis e até sobre a dança das cadeiras dos executivos.

Em *networking*, nada acontece por acaso: tudo acaba sendo fruto de situações que você mesmo plantou – ou ajudou a plantar. As próprias "casualidades" só serão aproveitadas se você estiver atento. Não foi por "acaso" que fiquei sabendo de 23 posições em aberto em diretorias de RH em aberto quando retornei ao Brasil, em 2008. Foi graças ao mais puro e legítimo *networking*.

Para tímidos e introvertidos: o *networking* ao alcance de todos

Imagine a seguinte situação (bastante comum em ambientes corporativos): você passou o dia inteiro em reuniões com cerca de 40 colegas de trabalho que vieram de várias cidades – alguns deles, você nunca havia visto pessoalmente. Após muitas apresentações, discussões, trabalhos em grupo, o dia chega ao fim: uma longa jornada entre quatro paredes, dentro de uma mesma sala. O almoço e os *coffee breaks* foram sempre em grupo, no mesmo ambiente. No fim das contas, todos estão felizes, pois o projeto alcançou os objetivos estabelecidos pelo presidente da empresa.

Seu diretor está feliz e radiante. Apesar de ser ainda um pouco cedo para o jantar, ele convida todo mundo para ir num restaurante bem próximo ao escritório. A maioria se anima com o convite – na verdade, é uma oportunidade de continuarem conversando e até celebrarem o sucesso do encontro. Mas você, ao contrário dos outros, preferiria desaparecer nesse momento para não ter que ir a esse jantar. Você já está exausto com o dia, e sonha em ir para o hotel e ficar sozinho pelo resto da noite. Provavelmente, pedirá *room service* e dormirá cedo. Infelizmente, seus planos caíram por terra: seus colegas já o estão abraçando e puxando para a rua. Disfarçando a aflição, tudo o que você quer é ser "teletransportado" para qualquer lugar longe dali.

Se esta cena parece saída de um filme de suspense ou terror, você é mais do que um tímido: é um introvertido. Você é daqueles que sempre ouvem muitas recomendações sobre como fazer *networking*, etapa essencial para conquistar o emprego que você tanto almeja. Mas o fato é que você... odeia *networking*!

E agora? Como enfrentar tamanho "pesadelo"? (Acredite: sei exatamente como você se sente, pois também sou assim. Até os esportes que pratico sugerem isso: corrida, bicicleta, natação e escalada em rocha – em que o guia, por sinal, também costuma ser do tipo caladão.)

A situação acima faz parte da vida de todo executivo. É comum que essas reuniões ocorram com frequência na sua rotina de trabalho. Mas, ainda assim, você não se sente totalmente confortável. E o que dizer então dos eventos (agora tão em voga) que criam artificialmente momentos para que profissionais se conheçam e façam *networking*. Esses encontros têm se multiplicado – e até existem empresas dedicadas a esse novo *business*.

Certamente, seus amigos extrovertidos já devem ter recomendado: "Participe de eventos de *networking*, vá a todos que você puder, colecione cartões de visitas, converse com quantas pessoas você conseguir". Ou então: "Almoce ou tome cafezinho com todos os contatos que você conseguir. Refeições são ótimas oportunidades para fazer *networking*". Na verdade, essas recomendações podem fazer sentido para outros extrovertidos – mas não para introvertidos, como nós.

(Já falamos sobre isso no capítulo anterior: *tentar desenvolver um "ponto fraco" é perda de tempo.* O melhor é se concentrar nas fortalezas de cada um, isto é, naquilo em que uma pessoa *faz a diferença* em relação às demais.)

Você então reúne todas as suas forças e resolve ir a um desses eventos: o salão está a meia-luz, com muita gente circulando ou conversando em pequenos grupos... Seu maior pesadelo parece estar apenas no começo: com seu crachá pendurado ao pescoço, você dá uma olhada em volta e, à primeira vista, para seu desespero, não reconhece ninguém. Você acaba de chegar e já olha o relógio imaginando quanto tempo vai conseguir permanecer ali. E já sofre por antecipação: aposta consigo mesmo que provavelmente não falará com ninguém. Coloca a mão nos bolsos e se dá conta de que esqueceu seus cartões profissionais – o que só reforça a convicção de que você não serve mesmo para fazer *networking*. Você ri, meio nervoso.

Curiosamente, muitas pessoas ali parecem estar se divertindo. "Como pode ser?", você se pergunta. Você não sabe fazer *networking* e não consegue aplicar as recomendações que lê e recebe. E nem poderia ser de outra forma: afinal, a maioria das sugestões a respeito desses eventos é escrita ou direcionada para pessoas extrovertidas. Não funcionam para nós, introvertidos. Então, o que fazer?

Felizmente, existem técnicas que podem ajudar a melhorar – e muito! – essa *performance*.

Em primeiro lugar, convença-se de uma coisa: ser introvertido não constitui um problema. Simplesmente, você funciona de forma diferente na hora de "recarregar as baterias". Como você tem o foco voltado para dentro, estar em contato com as pessoas exige um grande esforço. Por conta disso, você precisa de descanso depois de situações pautadas em contato humano intenso. Você se recarrega sozinho, ao passo que extrovertidos se "energizam" interagindo com outras pessoas.

Mas de uma coisa você não vai poder escapar: para obter sucesso na vida profissional (e, de certo modo, até na vida pessoal), você vai ter que investir muito tempo interagindo com as pessoas. O melhor a fazer, de saída, é não sofrer por antecipação, pensando: "Esses momentos são superficiais, não sei fazer isso ou o que falar, o que vão pensar de mim, meu Deus – vou ter que consumir comida ruim em grandes quantidades. Vai ser desconfortável demais. E o pior, não vai dar em nada".

Se você jogar a toalha antes de entrar em campo, pode ter certeza: *não vai dar em nada mesmo*! Mas... como superar este bloqueio fundamental? Em outras palavras: se o mundo parece ter sido criado para os extrovertidos, o que precisamos fazer para sobreviver?

Para usar um termo corrente na prática de *coaching* (vamos falar sobre isso, mais adiante), o que você vai precisar fazer é *reframe*. Literalmente: re-enquadrar – ou seja, passar a perceber a situação de um ponto de vista diferente. No nosso caso, trata-se de reformular e redirecionar a situação com base em parâmetros que sejam "toleráveis", tornando os eventos mais interessantes. Com isso, acredite, você vai poder tirar o melhor benefício desses momentos, usando suas características inatas e suas fortalezas de introvertido.

Por exemplo: você prefere situações organizadas e interações um a um; gosta de vivenciar as coisas com profundidade e análise, preparação e reflexão; reage melhor em situações com poucos estímulos, com foco e concentração. Como transferir essas habilidades e necessidades para reverter uma situação que lhe parece, de saída, caótica e completamente fora de controle?

O primeiro passo é definir a quantos e quais eventos de *networking* você quer comparecer. Porque, esteja certo: você vai receber muitos desses convites – e também para seminários, cursos e lançamentos de livros, entre outros. E, curiosamente, quanto mais você os frequentar, mais convites irão aparecer. Ir a todos certamente não é a resposta certa para um introvertido. Como decidir a quais e quantos ir? Simples: defina uma cota e alguns critérios (alinhados com seus objetivos pessoais) para estabelecer aqueles que você vai aceitar. Isso vai facilitar e eliminar o *stress* inerente à decisão.

O passo seguinte é: saber que, para se sair bem nos eventos que decidir comparecer, talvez você precise interpretar uma espécie de personagem – e se comportar *como se fosse outra pessoa*. Mas não precisa se assustar: se você fizer isso com um objetivo claro, de forma intencional e estruturada, saberá entrar e sair do "personagem" sem dificuldades – e também "retirar-se de cena", ou seja, fazer uma pausa para recuperar as forças.

Agindo assim, você fará o evento de *networking* funcionar a seu favor, seguindo suas próprias estratégias.

Estratégias que funcionam

Antes de mais nada: você não vai precisar se transformar em *outra pessoa* – alguém extrovertido que adora esses ambientes festivos. Mas, se você colocar em ação as estratégias abaixo, as coisas vão ficar bem mais fáceis.

Estratégia nº 1: Defina seus objetivos

Este é o ponto de partida para o seu sucesso em eventos de *networking*. Você pode começar de forma modesta: digamos, por exemplo, que você pretenda ficar no evento por pelo menos duas horas e participar, no mínimo, de três rodas de conversas. Por outro lado, seu objetivo pode ser conhecer uma determinada pessoa – um executivo que atue em uma empresa-alvo, na sua busca. Mais do que um punhado de cartões de visitas, sua intenção é conseguir apenas uma reunião de *follow-up*.

Se você tem por objetivo conhecer indivíduos específicos, vai precisar treinar seu discurso com uma boa antecedência. E vai precisar ter respostas para uma série de perguntas-chave: por que você quer conhecê-los? Qual o resultado desejado? E, baseado nisso, o que você vai dizer a eles?

Para se sair bem neste desafio, aplique a técnica conhecida como *elevator speech*. Talvez você já conheça, mas não custa relembrar: trata-se de um exercício (dizem que originado no Sillicon Valley) e um termo bem comum entre alunos de escolas de negócios e investidores da área de tecnologia. O *elevator speech* se baseia na premissa de que uma boa ideia deve ser simples o bastante para ser transmitida nos breves segundos que durariam o trajeto de um elevador. No mundo da tecnologia, a expressão se refere à possibilidade de o dono de uma *startup* dar de cara, casualmente, com um investidor anjo[7]. Como

[7] Investidor anjo: pessoa física que faz investimentos com seu próprio capital em empresas nascentes com alto potencial de crescimento, como as startups. A expressão surgiu nos Estados Unidos, no início

você conseguiria convencê-lo, em poucos minutos, a investir na sua empresa? Os criadores do Google, Facebook e Instagram passaram por momentos assim na busca de recursos para construir suas empresas. No nosso caso, a cena que devemos imaginar é: você está num elevador, quando entra o executivo que pode contratá-lo para a vaga que tanto almeja. Como você aproveitaria esse curto momento? Comece a treinar desde já...

Estratégia nº 2: Foque em uma única pessoa de cada vez

Agora que você já entrou em campo, seu próximo desafio será colocar em prática aquilo que treinou na primeira estratégia. Só precisa escolher seu alvo e... ir à luta. O segredo, neste ponto, é manter-se *focado* na pessoa com quem estiver falando. Faça perguntas diretas e – não custa repetir! – procure estar integralmente presente, concentrado nas respostas de seu interlocutor e tratando de aprofundar o tema da conversa. Isso vai ajudar a criar um relacionamento sincero. Ouça com atenção, sem se permitir as distrações do ambiente: essa postura demonstra interesse e com certeza será valorizada por seu interlocutor. (Lembre-se: muitos *inputs* simultâneos são prejudiciais ao seu modo de operar.)

Você não precisa falar com todos os participantes do evento. Basta "fazer o dever de casa": escolha as pessoas com quem você gostaria de ter contato, levantando o máximo de informações que puder sobre elas e suas empresas. Isso vai garantir que, quando estiver com cada uma delas, sua conversa seja mais "profunda" – e você poderá surpreendê-las. Tenha sempre em mente: este não é um jogo em que ganha quem sair com a maior coleção de cartões de visita.

Como já sabemos, introvertidos e tímidos se sentem mais confortáveis ouvindo. Portanto, *faça o outro falar*, conversando sobre os interesses pessoais dele em primeiro lugar e fazendo perguntas abertas. E, nos momentos adequados, não deixe de comentar e encorajar: "Isso é interessante. Realmente, faz sentido", e assim por diante.

---

do século XX, para designar os investidores que bancavam os custos de produção dos espetáculos da Broadway, assumindo os riscos e participando de seu retorno financeiro. (fonte: Wikipedia) Entra o executivo que pode contratá-lo para a vaga dos seus sonhos. Como você aproveitaria esse curto momento?

Estratégia nº 3: Defina o seu modus operandi

O mais importante é determinar o que funciona para você. Reflita sobre eventos dos quais você participou antes e se sentiu bem, e avalie por que as coisas funcionaram para você. O que funcionou? Por que foi um bom evento? Por que você se sentiu bem? Agora, pense sobre situações novas a que você pode ir e replicar essas mesmas experiências positivas.

Por exemplo, procure saber se haverá apresentações ou mesas redondas. Você pode tirar proveito disso: afinal, como você gosta de organização e disciplina, pode se prontificar a ser o facilitador da mesa. Você funciona bem em ambientes e situações estruturadas, previsíveis ou conhecidas. Então, estruture e planeje o evento, tornando-o minimamente previsível. Pesquise o tema e os convidados. Se houver um orador principal (*keynote speaker*), faça pesquisa sobre sua biografia e seus temas de interesse. Aprofunde-se no assunto, porque assim você terá como conversar sobre o tema da palestra com profundidade e conforto – e isso é uma coisa que você gosta de fazer.

Mas lembre-se: você está num evento de *networking*. Ou seja, você vai ter que conversar com pessoas desconhecidas.

Dez maneiras eficientes para iniciar uma conversa

1. "Me fale sobre o seu trabalho."
2. "Como você descreveria a empresa onde você trabalha?"
3. "Em que projetos você está envolvido no momento?"
4. "Qual foi a melhor coisa que lhe aconteceu este ano?"
5. "Quais são seus desafios para o próximo ano?"
6. "Como eu posso te ajudar?'
7. "O que seria um excelente cliente para você?"
8. "Como foi o seu dia?"
9. "Tem planos para tirar férias no futuro próximo?"
10. "Você gostaria de dar uma olhada no buffet?"

Você está com uma conversa engatada e seu interlocutor parece superanimado e interessado – mas a verdade é que você continua contando as horas para poder se afastar e fazer uma pausa, não é mesmo? Pois inclua isso nos seus planos: ao longo do evento, tome alguns momentos para se afastar e recarregar suas baterias. E aproveite esses *breaks* individuais para tomar notas sobre as pessoas que você conheceu. Para isso, use o cartão de visitas que você acabou de receber: escreva no verso as informações mais importantes que você recolheu durante a conversa com aquela pessoa. Não se esqueça de que metade das coisas que ouvimos costuma ser esquecida em até 48 horas.

Depois de cada *break*, retorne ao salão e continue fazendo seu trabalho – você está se saindo muito bem. Mas trate de não exagerar: você não precisa ser o último a ir embora. Fique apenas até o momento em que sentir que atingiu o seu limite. Lembre-se de que nenhuma conversa deve se estender para além do suportável. E aqui a questão é: como encerrá-la de maneira agradável? Eis algumas sugestões bem simples:

- "Foi ótimo conhecê-lo. Posso ter o seu cartão?"
- "Acho que vou dar um pulo ao banheiro (ou telefonar para casa, etc.). Mas gostei muito da nossa conversa, e espero que nos encontremos de novo em breve."
- "Imagino que você gostaria de conhecer outras pessoas, então não vou prendê-lo por mais tempo."
- "Prometi a mim mesmo que tentaria conhecer algumas pessoas. Então, se você me perdoar, vou circular um pouco mais."

A melhor saída de todas é, sem dúvida, a "passagem de bastão": alguém que você conhece se aproxima e você o integra à conversa. E então, logo após fazer as apresentações, você recorre a uma das outras frases para se retirar educadamente. Pronto! Isso é sinal de que você começou a dominar as técnicas de *networking*. Além de não abandonar seu interlocutor, demonstra que está sendo útil para os outros – e que já conhece algumas pessoas a ponto de criar novas conexões.

E... depois?

Bem, o que importa é fazer *follow-up* – porque seu objetivo é criar uma conexão. E a melhor forma de fazer isso é: sendo útil para as pessoas. Então procure ser específico e não deixe passar mais de 48 horas e faça a sua parte:

- Faça alguma referência ao tema do encontro ou da conversa;
- Mande o título de um livro, um artigo no jornal ou algo que retome o tema do papo anterior;
- Cumpra as eventuais promessas que tiver feito;
- Apresente-o para alguma outra pessoa.

Enfim, as possibilidades são muitas – e você certamente vai encontrar a mais adequada à situação. O importante é que tudo seja feito de maneira espontânea e sincera. Você não deixará de ser um introvertido. Mas uma coisa é certa: adaptando as técnicas de *networking* ao seu jeito de ser, você certamente vai ganhar confiança.

INTROVERTIDOS X EXTROVERTIDOS: QUEM É QUEM

Dispositivos como secretárias eletrônicas e *voice mail* já são usados por praticamente toda a população. Mas a motivação varia entre extrovertidos e introvertidos: para os primeiros, o *voice mail* é uma garantia de que eles não vão perder nenhuma chamada, enquanto para os segundos é uma forma prática de *não* atenderem o telefone. Mais até: extrovertidos sempre gravam uma mensagem quando o destinatário da ligação não responde; os introvertidos, por sua vez, raramente deixam recado, e até se sentem aliviados por não precisarem conversar com ninguém.

Falar ajuda os extrovertidos a pensar, refletir e tirar conclusões: é como se eles precisassem escutar seus próprios pensamentos e argumentos para chegar a suas conclusões. Por isso (para os introvertidos), pode parecer que eles estão sempre mudando de opinião. Introvertidos são bons ouvintes: eles pensam bastante, antes de verbalizar suas opiniões – e conseguem fazer isso de maneira firme, pois refletiram muito, basearam-se em dados e fatos e aprofundaram a análise. Introvertidos têm também uma predisposição natural para observar. Por isso se recomenda a eles: pausem, pensem, estruturem seus pensamentos e falem quando já estiverem seguro de suas ideias.

Extrovertidos andam "em bandos", costumam falar muito e compartilhar tudo aquilo que pensam e sentem. Estão sempre investindo em novos interesses e fazem amigos com facilidade. Já os introvertidos preferem a companhia de poucas pessoas, mesmo em eventos grupais. Dedicam-se a *hobbies* e esportes individuais – e não gostam de ser o centro das atenções, nem de enfrentar imprevistos e surpresas.

Certamente, cada indivíduo é único e incomparável – a começar pelas impressões digitais. Neste sentido, generalizações como essas funcionam apenas como referências sobre o comportamento humano. Mas elas podem ser úteis para você se conhecer melhor e aprimorar seu desempenho pessoal e profissional.

Feita a ressalva, confira abaixo alguns comportamentos típicos dos dois estilos:

Introvertidos	**Extrovertidos**
Foco interno	Foco externo
Pensam antes de falar	Pensam escutando a si mesmos
Recuperam as energias a sós	Recuperam as energias interagindo com pessoas
Preferem poucos estímulos	Preferem muitos estímulos
Precisam de concentração	Precisam de distração
Preferem ideias e conceitos	Preferem pessoas e fatos
Preferem discussões um a um	Preferem discussões em grupo
Valorizam a privacidade	Valorizam interações com grupos

UMA ÚLTIMA DÚVIDA: SERÁ QUE OS OUTROS VÃO AJUDAR?

Certa vez, um amigo me falou sobre o início de sua carreira: alertado (pelos pais e colegas) sobre "a agressividade e a concorrência feroz do mercado", ele ficou surpreso ao conhecer muitas pessoas interessadas em ajudá-lo. Uma delas (seu chefe, no segundo emprego importante) chegou a oferecer oportunidades acima de sua experiência, mostrando-se disposto a treiná-lo para a promoção.

Surpreso e um tanto desconfiado (meu amigo me contava), ele acabou perguntando: "Mas por que o senhor está me ajudando assim?". E recebeu como resposta: "Por várias razões, e a primeira delas é que você tem talento". Meu amigo quis saber mais: "Só por isso?" E o chefe, compreensivo e sorridente: "Isso não é pouco. Mas estou ajudando também porque me ajudaram quando eu tinha sua idade. E porque o mundo é assim: as pessoas se ajudam".

Mantenha sempre um interesse sincero pelas pessoas. Cada ser humano é único e tem seu valor, suas histórias para contar. Nenhum homem é uma ilha (a não ser algumas figuras muito "difíceis"): todos nós vivemos numa grande comunidade, composta por comunidades menores – que, por sua vez, são integradas por muitas pessoas que gostam naturalmente de ajudar. Muitas delas já fazem (ou farão) parte da sua rede de relacionamentos, enquanto você integra a rede de cada uma delas. Ajudando você, elas fortalecem os vínculos com o mundo, estreitando laços que poderão ajudá-las mais adiante. E você, se puder, certamente também as ajudará.

É claro que também há um pouco de vaidade em tudo isso: as pessoas costumam se sentir lisonjeadas e importantes quando alguém as consulta como especialistas. Não importa: se elas são assim, isso também faz parte do jogo, do grande *networking* do planeta – um mundo que é, afinal, pequeno, e onde poucos "graus" separam você de seus semelhantes e, mais especificamente, *daquele* emprego que você está procurando.

EXPANDINDO A SUA REDE DE RELACIONAMENTOS

Desenhe o trajeto que você precisa percorrer a fim de chegar nas pessoas que lhe interessam.

Pessoas Alvo

Novos conhecidos

Conhecidos

Você

Capítulo 5

Currículo(s): não saia em campo sem ele(s)

Sempre vivi no meio de livros, fascinado desde cedo pelas estantes de meu pai. Nunca estabeleci uma linha divisória entre leituras e "experiências concretas": ler, afinal, é uma dessas experiências – e bastante concreta. Foi nas páginas de um livro, por exemplo, que descobri a ideia que me despertou o interesse pela ciência da administração de empresas. Estou falando de *Moments of Truth* (em português, *A hora da verdade*[1], do executivo sueco Jan Carlzon – que na década de 1980 venceu o desafio de comandar a companhia aérea escandinava SAS, numa conjuntura de grandes dificuldades administrativas e financeiras.

"Momentos da verdade", diz Carlzon, são aqueles em que o cliente interage diretamente com um produto, serviço ou marca. É em momentos assim que o cliente elabora uma impressão decisiva, que pode ser positiva ou negativa e vai permitir ou inviabilizar sua fidelização. Isto vale também para o nosso caso: a leitura de um currículo pelo recrutador de RH é um "momento da verdade", na *estratégia vendedora* do candidato a uma vaga. Mas não é o único: os contatos de *networking* e as entrevistas (em especial a primeira) são também momentos de verdade, e igualmente decisivos.

Em geral, todos querem preparar um "currículo legal", que cause a melhor impressão e cumpra o objetivo principal de garantir a primeira entrevista. É justamente nesta etapa intermediária que você precisa estar focado. Ela é fundamental: de nada adianta traçar estratégias para contatos e entrevistas, quando seu maior desafio ainda é ultrapassar o "primeiro obstáculo" – o leitor de currículos. Ele é um profissional treinado para ler cada CV em 40 segundos e está preparado para encontrar ali um motivo para você não ser entrevistado.

Assim como um *trailer* é um convite ao espectador (para que assista ao filme completo), seu currículo deve ser um *aperitivo* para conseguir a primeira

---

[1] Carlzon, Jan. *A hora da verdade* a história real do executivo que delegou poder às pessoas na linha de frente e criou um novo conceito de empresa focada nos clientes. Rio de Janeiro: Editora Sextante, 2011.

entrevista. Então, limite-se ao essencial: não escreva nada que possa colocar em risco o próximo "momento da verdade". Ou seja: para conquistar o emprego que deseja, primeiro você vai ter que se sobressair no "tsunami de CVs" que os recrutadores enfrentam todos os dias.

Não é exagero. Quem trabalha no RH de qualquer empresa (o tamanho não importa muito) está acostumado à grande quantidade de CVs que precisa examinar, ao mesmo tempo que desempenha várias outras tarefas, como treinamento ou administração de pessoal. Por isso, este profissional está capacitado a ler e entender um CV em pouquíssimo tempo. Munido de algumas palavras-chave e de um resumo das rotinas básicas da posição em aberto, ele se dedica à leitura – atento a qualquer erro, ambiguidade, falta de informação ou de clareza.

Não é difícil entender os motivos para uma redução tão rápida e tão drástica do número de candidatos. Nesta primeira etapa do processo, ler um CV não exige muito tempo nem maiores esforços. A partir deste ponto é que o processo seletivo vai ficando mais complexo e mais caro, porque envolve mais gente – em geral, profissionais mais especializados e onerosos para as empresas. É também a partir daí que os erros (e seus custos associados) ficam mais evidentes: uma entrevista com um candidato fraco é uma óbvia perda de tempo para todos, ao passo que incluir ou não um CV numa pilha de papel não tem praticamente custo nenhum.

É por isso que um bom currículo deve conter *poucas* informações – apenas as *essenciais*. Deve ser conciso e bem organizado, indo direto ao assunto, mas com elegância e sem abreviaturas ou omissões de palavras ou dados. A diagramação tem que facilitar a leitura, com tipografia e entrelinha adequadas. O segredo está justamente em alcançar esse equilíbrio: passar a mensagem sem falar demais. O excesso de detalhes pode ofuscar dados importantes.

Outro ponto fundamental: o *foco*. Você deve elaborar seu currículo pensando *em quem vai lê-lo* e não em você mesmo. Trate então de avaliar a importância que seus dados podem ter aos olhos do recrutador ou futuro empregador.

Montar o currículo representa também uma ótima oportunidade para colocar em ação o inventário de competências que você aprendeu a elaborar – e que, a esta altura, já deve(ria) estar traduzindo em histórias pessoais (*casos* de realizações) a serem contadas nos primeiros contatos telefônicos e durante as entrevistas.

Para os primeiros 40 segundos, eis o que realmente importa – e o que vai fazer seu currículo ser lido e analisado pelo profissional de RH e, eventualmente, pelo dono da vaga:

- As empresas onde trabalhou;
- O tempo que passou em cada uma;
- As posições que ocupou;
- Suas realizações.

Empresas: É imprescindível você comparar e destacar as semelhanças com a empresa que oferece a vaga – em termos de porte, ramo de atividade, produtos ou serviços, origem de capital, e assim por diante. Assim, o leitor do CV vai poder estimar até que ponto você conhece o contexto e o ambiente de negócios da contratante, ou o quanto ainda vai precisar aprender. Ou seja, ele vai avaliar se você vai ser capaz de produzir resultados rapidamente. E vai avaliar também seu grau de treinamento e desenvolvimento, e se você se enquadra no pacote de remuneração que eles oferecem. Tudo isso está diretamente ligado à reputação das empresas em que trabalhou – como empregadoras, pagadoras e desenvolvedoras de profissionais.

Tempo: Mas não basta que as empresas mencionadas sejam interessantes. É importante que você tenha permanecido tempo suficiente para a consolidação de seu aprendizado – ou seja, quanto mais tempo você trabalhou para boas empresas, melhor. Isso porque tempo se traduz em treinamento, solidez de conhecimentos, ascensão na carreira e oportunidade de acompanhar a concretização de projetos. Tudo isso é sinal de estabilidade, continuidade, crescimento e um perfil alinhado com a cultura corporativa tradicional. Por isso, se você tiver mudado de empregos com certa frequência, vai precisar demonstrar que não é um aventureiro, sujeito a trocas constantes.

Posições: As posições que você ocupou vão informar o conteúdo do seu trabalho. Por elas, o leitor de seu CV pode avaliar se você sabe fazer o trabalho exigido para a vaga (ou se será capaz de aprender rapidamente). E também: até que ponto você se aproxima do *fit* com a posição em aberto; se a contratação será um desafio efetivo para você; se a vaga representa uma ascensão na sua carreira (e até que ponto você é movido a isso); se a empresa vai poder oferecer o que você almeja; se o seu perfil é de generalista ou especialista, de líder ou contribuidor individual.

Realizações: Diferente dos três itens anteriores, aqui você vai se expor abertamente, escolhendo o que incluir. É também a sua chance de demonstrar aquilo que chamamos, informalmente, de capacidade *acabativa* – ou seja, que você é capaz de concluir projetos e entregar resultados. Selecionando e ressaltando suas realizações, você prioriza os desafios superados, os aspectos que considera relevantes em sua carreira, seus interesses, sua zona de conforto e suas competências essenciais – aquelas que fazem com que você seja único.

Os três primeiros itens são objetivos, e fazem parte da sua história profissional. Portanto, não há o que inventar: basta registrar de forma clara e objetiva. Já as realizações vão depender de *decisões* suas. Tudo somado, o fundamental é que seu currículo transmita, da maneira mais simples e direta, o que você *é*, o que você *já fez* e o que *será capaz de fazer pela nova empresa*. Trocando em miúdos, ele deve trazer latente a mensagem: "Vale a pena conversar comigo para me conhecer melhor (e me contratar)".

Na verdade, um bom currículo começa bem antes de ir para o papel. Porque ele é "apenas" a expressão da sua carreira: suas experiências, conquistas e realizações.

Saber se apresentar e contar bem a história de sua vida profissional – eis o segredo do currículo. Ou melhor, dos *currículos*, no plural mesmo. Afinal (não custa repetir), não existe currículo ideal. Então, acostume-se à ideia de preparar mais de um, adequando-os a cada situação.

Passo a passo, parte por parte

O encarregado pela primeira triagem dos CVs ainda não está "escolhendo" os melhores: ele está apenas procurando pequenas falhas e inconsistências para reduzir a pilha (metafórica) de papel diante dele. Qualquer informação incompleta ou confusa, qualquer frase truncada e até pequenos erros ortográficos ou de digitação – tudo, nesta hora, pode ser motivo para você ser eliminado do páreo.

Por isso a preparação do currículo deve ser minuciosa, e cuidar não apenas do visual do conjunto, mas da elaboração de cada parte: o cabeçalho (sua identificação), o objetivo, a experiência profissional, a formação acadêmica, as referências pessoais etc. Nunca se esqueça: seu CV deve ser legível – *compreensível* – para quem lê, não para você.

A primeira parte é o *cabeçalho* – a identificação do candidato. Ela deve ser simples e objetiva, trazendo apenas o nome completo e os meios de contato (apenas telefone e e-mail). Nesta fase do processo seletivo, tudo que eles precisam é do seu nome e de uma forma de entrar em contato com você. Só isso.

Não precisa incluir seu endereço. Num contexto em que todos têm celular e internet, é claro que ninguém vai convocar você por carta, não é mesmo? Sem falar que o endereço pode funcionar como fator de eliminação: morar na Zona Sul do Rio de Janeiro pode se tornar um "problema", se a empresa que oferece a vaga for na Baixada Fluminense e se tornar mais um motivo para eliminar você do processo.

Uma dica importante: você precisa estar disponível para ser encontrado facilmente no telefone ou e-mail de contato que forneceu. Senão, o representante da empresa ou da consultoria de RH perde o interesse, e passa para o próximo da fila. Se você está empregado, o telefone de contato deve ser o residencial ou o seu celular pessoal. O importante é você retornar as ligações o mais rápido possível. Isso também pode fazer diferença.

No Brasil, as pessoas têm o hábito de fornecer outras informações – idade, estado civil e se tem ou não filhos. Mas a verdade é que, além de não acrescentarem absolutamente nada à qualificação do candidato, elas podem dar motivos para a eliminação preliminar.

Vamos imaginar o caso (fictício) de Paula. Ela é engenheira mecânica e tem passagem por duas empresas de renome. Seu CV menciona, entre os dados pessoais, que ela é casada e tem um filho. Depois de três anos em casa cuidando da criança, ela decidiu retornar ao mercado de trabalho. Como você reagiria ao ler essa informação? Pode ser que você não pense assim, mas duas reações são muito comuns:

"Ela logo vai querer ter um segundo filho e vai nos deixar em breve."

"Com um filho pequeno ela não poderá viajar e terá compromissos de escola, médico, babá, etc. que dificultarão o seu bom desempenho."

Está vendo? As chances de Paula ficam significativamente reduzidas pela interpretação preconceituosa da informação sobre seu *status* familiar. Na hora de elaborar uma campanha de *marketing* ou fechar um balanço, que diferença faz se uma pessoa é casada ou solteira? Qualquer julgamento a respeito do estado civil de um indivíduo é tendencioso, e se baseia sobretudo na vivência da pessoa que está lendo a informação. Não vale a pena correr este risco.

A segunda parte – e a mais importante – é a da *experiência profissional*, onde o candidato pode apresentar tudo aquilo que realizou, mostrando estar plenamente qualificado para preencher a vaga oferecida. É aqui que você tem a oportunidade de falar de suas realizações – e se *destacar.*

E como é que você deve fazer isso? A melhor forma é colocar em ordem cronológica invertida, ou seja, do emprego mais recente para o mais antigo em cada item desta parte deve constar os seguintes elementos:

- O **nome da empresa** – tanto a razão social quanto a marca de fantasia[2] com que é mais conhecida.

---

[2] É a designação popular de Título de Estabelecimento utilizada por uma instituição (empresa, associação, etc.), seja pública ou privada, sob a qual ela se torna conhecida do público. Esta denominação

- A **descrição da empresa** – se a empresa não for facilmente reconhecida, inclua uma breve descrição: o que ela faz, o faturamento, localização geográfica e número de empregados. Esses dados ajudarão o leitor do seu CV a estimar a responsabilidade, as dimensões e a complexidade de trabalhar naquela empresa.
- **O nome dos cargos** ocupados ao longo de sua permanência na empresa. Mas cuidado: algumas empresas têm cargos com nomes criativos. Se for o seu caso, adapte para a nomenclatura comum no mercado, para ter a certeza de que todos vão entender o que você fez e faz. Por exemplo: Diretor de Gente ou Diretor de Talentos (Nomenclatura comum: Diretor de RH). Lembre-se: lacunas, dúvidas ou erros são as grandes justificativas para o seu CV sair desde já da disputa.
- O **período em que trabalhou** na empresa – e aqueles em que ocupou cada cargo.
- Os **resultados obtidos** em cada um desses cargos.

Este último item merece uma atenção especial. A maioria das pessoas costuma listar as tarefas que realizou em cada posição ou empresa – mas o que realmente conta (e o que vai fazer a diferença) são as realizações, os *resultados alcançados*. Ou seja, as cifras e informações concretas que vão constituir a *tradução factual* das competências essenciais do candidato.

Assim, em vez de escrever "responsável pelo projeto de implementação do sistema SAP" (que é a mera descrição do trabalho), é melhor colocar:

- Liderei uma equipe de 12 profissionais do projeto de implantação dos módulos de Compra de Materiais e Gestão Financeira do sistema SAP com redução de 10% do orçamento de um milhão de dólares.

Outro exemplo:

Em vez de informar vagamente que era "vendedor, responsável pela carteira de produtos, na região da Grande São Paulo", fica bem mais completo escrever:

- Responsável pelos clientes de cosméticos de luxo na zona Leste de São Paulo. Inicialmente, com 30 consumidores, num patamar de vendas de um milhão de dólares em 2007. Hoje, são 40 com faturamento de 2,2 milhões de dólares. Sugeri uma inovação ao produto TudoLindo: a partir de entrevistas com consumi-

---

opõe-se à razão social, que é o nome utilizado perante os órgãos públicos de registro das pessoas jurídicas. Fonte: Wikipedia. Acesso em: 6 jul 2013.

dores da rede de Supermercados ABC, a equipe de marketing desenvolveu uma versão avançada. Essa inovação representou 20% do faturamento do segmento.

Percebeu a diferença? E que diferença! Mas atenção: não vale a pena inventar informações ou "encher linguiça". É pura perda de tempo: mais cedo ou mais tarde, todas as informações serão checadas – e a mentira, você sabe, não vai muito longe.

Outros exemplos de uma linguagem mais positiva e incisiva na descrição de suas realizações:

- ***Cumprimento de prazos*** em vez de ***Busca do cumprimento dos prazos***
- ***Líder do programa de recuperação*** em vez de ***Responsável pelo programa***
- ***Gerência de gestão de qualidade*** em vez de ***Implementação da gestão de qualidade***
- ***Implantação de melhorias*** em vez de ***Sugestão de melhorias***

Para ter um vocabulário mais rico e específico na descrição de suas realizações, acompanhe esta tabela[3]:

Iniciativa	Solução de Problemas	Gerência de Situações	Conquista de Objetivos

[3] Adaptado de Howard, S., *Como preparar um bom currículo.* 1ª ed. São Paulo: Publifolha, 2001. (Série Sucesso Profissional: seu guia de estratégia pessoal).

Concepção	Análise	Aprovação	Aumento
Construção	Combinação	Condução	Conclusão
Criação	Consultoria	Controle	Condução
Desenvolvimento	Corte	Decisão	Conquista
Formação	Identificação	Definição	Cumprimento
Fundação	Investigação	Direção	Demonstração
Geração	Otimização	Emprego	Melhoria
Idealização	Redução	Gerenciamento	Obtenção
Iniciativa	Reorganização	Indicação	Produção
Lançamento	Resolução	Inspiração	Promoção
Previsão	Revisão	Liderança	Seleção
Projeto	Solução	Orientação	Superação

Trocando em miúdos: dê destaque àquilo que realmente foi relevante. E, como regra geral, descreva de um modo mais detalhado as experiências mais recentes e aquelas onde você passou mais tempo. Já as mais antigas (e as mais breves) podem entrar resumidas. Seguindo o modelo, você deve apresentar em maior detalhe suas últimas três ou quatro posições ou os últimos 10 anos. Experiências anteriores podem ser condensadas e apresentadas de forma mais breve ou "genérica". Sempre na ordem cronológica invertida, e apresentando as realizações em termos numéricos concretos. É isso o que a empresa (através do selecionador de CVs) está procurando nessa fase da triagem: escolher aqueles que *realizaram* coisas e *resolveram* problemas. Numa palavra: *resultados*.

> Não custa repetir: esta é a *parte mais importante* do seu currículo. E é ela que vai ser determinante para você conseguir ou não a esperada primeira entrevista.

Próximo tópico: a *formação acadêmica*. Ela também deve ser apresentada em ordem cronológica, do item mais recente para o mais antigo. Em geral, isso equivale também à ordem de importância dos cursos (a não ser que o candidato tenha concluído uma segunda faculdade recentemente): Doutorado, Mestrado (ou MBA) e graduação. Isso vale também para os cursos técnicos e especializações – no caso de um candidato a um cargo essencialmente técnico. O importante é ser bem claro:

- O nome completo do curso;
- O nome completo da instituição – e a cidade onde o curso foi feito;
- A duração (ou, pelo menos, a data de formatura).

Nos casos de Mestrado e Doutorado, você pode mencionar (e descrever em poucas linhas) a dissertação e a tese defendida – mas só se isso tiver a ver com sua busca por determinada posição, e ajudem a fazer a diferença. Do contrário, será apenas mais uma daquelas informações desnecessárias, que podem até surtir efeito contrário: você pode ser visto como muito teórico, ou superqualificado para o posto – e o que eles buscam, no fim das contas, é a tal *capacidade acabativa.*

Um lembrete:

Muitos CVs costumam começar pela formação acadêmica, logo após o cabeçalho. Mas acho que isso só faz sentido para recém-formados, em busca de estágio, oportunidades como *trainee* ou um primeiro emprego. Ou então, quando se trata de escolas e cursos de primeiríssima linha – nacionais ou internacionais. Mas, ainda assim, só vale para profissionais com poucos anos de experiência no mercado.

Em seguida, sob o nome genérico de *Outras Atividades*, você pode listar informações que considerar relevantes para a posição que procura: cursos livres que não se encaixem na formação acadêmica, artigos em publicações especializadas, bolsas de estudo, premiações, participação em associações de classe – sempre procurando ser claro, dando os nomes completos, as datas e a natureza de cada atividade. Uma conferência numa associação profissional ou instituição acadêmica importante pode representar um diferencial a seu favor. Trabalho comunitário voluntário, também: é cada vez mais bem-visto pelas empresas.

(Mas procure não exagerar na hora de citar os famosos "cursos extracurriculares": com a quantidade e a variedade de cursos livres disponíveis, qualquer profissional já fez um bom punhado deles. Portanto, só inclua aqueles que efetivamente agreguem valor a sua carreira – de acordo com o *enfoque específico* da posição que você está disputando.)

O tópico seguinte é muito importante, e deve ser elaborado com a devida responsabilidade: os *idiomas*. Muitos candidatos costumam fazer a separação entre leitura, escrita, conversação, mas isso pode complicar as coisas, sugerindo que seu domínio é fragmentário e parcial. Liste os idiomas que você domina e escreva ao lado se é *fluente*, *avançado*, *intermediário* ou *básico*. Pode incluir algum certificado importante – se o curso for efetivamente conhecido e respeitado, é claro. Mas cuidado para não listar, por exemplo, "espanhol elementar: compreensão e leitura" – isso qualquer um domina. As semelhanças com o português dão a falsa impressão de que o espanhol é um idioma fácil. Você pode sofrer a tentação de arriscar um "portunhol" durante uma entrevista.

(Acima de tudo, seja honesto quanto à fluência. Pense sempre duas vezes antes de fornecer uma informação: se o domínio do inglês ou espanhol for um fator relevante para a empresa, você pode ser testado já no primeiro contato telefônico: "Vamos conversar um pouco em inglês agora?". Lembre-se de que ser apanhado numa mentira é muito mais grave do que não falar inglês.)

Finalmente, a questão das *referências pessoais*: afinal, incluir ou não? Pessoalmente, não aconselho a fazer isso. Elas devem ser guardadas como trunfo, para a hora da entrevista – quando, provavelmente, algum entrevistador as solicite. Obviamente, as referências pessoais devem ser sempre *muito boas* – ou seja, alguém que tenha efetivamente experiências boas e concretas (não, apenas, adjetivos agradáveis) a contar a seu respeito. Mas isso não será problema, se você já conta com uma boa rede de relacionamentos e uma agenda de contatos eficiente (como aprendeu a fazer no capítulo anterior).

> Importante: antes de dar um nome como referência, você deve pedir autorização; em seguida, mantenha a pessoa informada a respeito de seus progressos, nessa busca. E nunca se esqueça de agradecer.

Em linhas gerais, esta é a estrutura recomendada para o currículo – sujeita a algumas variações. Muita gente tem optado por colocar, logo na abertura, uma espécie de *sumário executivo:* em alguns itens, o candidato apresenta suas principais características e realizações, informações concretas, factuais, que sintetizem toda a sua carreira até então. Algo bem rápido e resumido – e que, justamente por isto, só faz sentido se forem tópicos afinados com sua busca atual.

O sumário executivo é também o lugar mais adequado para você inserir as tais "palavras-chave" que vão fazer seu currículo passar por uma eventual primeira triagem eletrônica. Mas cuidado: abrir um currículo listando qualidades como "iniciativa", "trabalho em equipe", ou "gostar de trabalhar com pessoas" pode ter efeito contrário. Isso são estereótipos que a maioria costuma escrever – e assim você passa a ser *mais um* na pilha. O objetivo de um bom currículo é justamente o contrário: abrir portas, fazer com que o responsável pelo processo de seleção telefone e comece a considerar você como um forte candidato para ocupar a posição em aberto.

Uma última recomendação: você pode consultar CVs de amigos e colegas ou *templates* e exemplos disponíveis na internet. Separe os que lhe parecerem os melhores e avalie quais são as características comuns que mais chamam a atenção. Agora siga em frente e coloque a mão na massa.

Nunca economize cuidado, tempo nem atenção na hora de elaborar um bom CV. Caso contrário, ele pode se tornar seu pior inimigo.

Um mau exemplo de CV

Márcio Lima de Araújo Neto

03 de fevereiro de 1969

Casado – Brasileiro

Rua Baker, 221b – Novo Bairro – São Paulo - SP

marcio@provedor.com.br

11 89911 73125

Formação

Mestre em Administração – USP – 2007
MBA – PUC – 2002
Psicologia – PUC – 1994

Experiência profissional

- 2009 - 2013
  Supermercados Compre Bem Diretor de RH – São Paulo
  Responsável por Recrutamento e Seleção, Treinamento e Desenvolvimento Organizacional. Responsável pelo desenho e implementação de programas de formação de novos líderes.

- 2005 - 2009

  Supermercados Compre Bem Gerente Sênior de RH – Porto Alegre
  Responsável pelo RH para as unidades do Supermercado na região Sul.

- 2002 - 2005
  Montadora de Automóveis Kambio Gerente de RH – São Paulo
  Atuação generalista como *business partner* de RH para a área Comercial.

- 2000 - 2002
  Euromoney Bank
  Training Manager - São Paulo

- 1998 - 2000
  Euromoney Bank
  Sênior *HR Consultant* – New York

- 1996 - 1998
  EUROMONEY BANK
  Consultor de RH Sênior - São Paulo

IDIOMAS

Português e Inglês fluente – Espanhol Intermediário

OUTROS CURSOS

- 2003
  CONSULTORIA INTERNA PARA PROFISSIONAIS DE RH
- 2004
  COACHING
- 2009
  FORMAÇÃO DE LÍDERES
- 2011
  INFLUÊNCIA E NEGOCIAÇÃO

INTERESSES PESSOAIS

Esportes e leitura

O mesmo CV corrigido

Márcio Lima de Araújo Neto

marcio@provedor.com.br
11 89911 73125

Objetivo:

Posição executiva em recursos humanos

Qualificações:

- Mais de 20 anos de experiência profissional em RH em empresas dos segmentos: Varejo, Montadora, Financeiro e de Materiais de Construção.
- Residência durante 2 anos nos EUA.
- Ampla vivência na gestão dos sistemas de RH: Recrutamento e Seleção, Treinamento e Desenvolvimento Organizacional, Desenvolvimento de Lideranças, Planejamento de Sucessão, Remuneração, Gestão de Clima e Comunicação Interna.
- Integração de culturas em ambiente de Aquisições e condução de processos de mudança cultural e reestruturação organizacional.
- Execução de estratégias de RH por meio da formulação de diretrizes, políticas, programas, processos e sistemas a fim de garantir a adequada identificação e gestão de talentos e o desenvolvimento de lideranças.
- Desenho, implementação e administração de Indicadores de Gestão de RH.
- Formado em Psicologia, com MBA e Mestrado em Administração. Fluente em Inglês. Espanhol avançado.

Experiência profissional:

- **Supermercados Compre Bem – São Paulo (Jul 2005 – Set 2013)**

  Empresa brasileira de Varejo, com faturamento anual de R$ 10 bilhões, 32 mil colaboradores e presença em 12 estados.
- **Diretor de RH – São Paulo (2009 – 2013)**

  Reporte ao Vice-Presidente de RH, com equipe de 42 pessoas.
- **Gerente Sênior de RH – Porto Alegre (2005 – 2009)**

  Criei e implementei a proposta de valor para os empregados da empresa com iniciativas de recrutamento, clima interno, treinamento e formação de líderes. Com isso houve redução do *turnover* para 11,5%, abaixo da média do setor supermercadista, e redução de 32% dos custos de recrutamento e contratação.

Estruturei a equipe responsável pelo desenvolvimento dos programas de formação de lideranças. Esse programa totalizou 700 executivos treinados entre 2010 e 2013, garantindo o alinhamento com a nova cultura e proposta de valor da empresa. Além disso, defini as políticas de *coaching* e os programas de desenvolvimento para estagiários e *trainees*.

Atuei como líder da integração das políticas, sistemas (SAP) e processos de RH na aquisição de redes regionais de supermercados (baseado em Porto Alegre).

Implantei o painel de indicadores de desempenho para os processos de RH (coordenação da participação da empresa no *benchmark* do Instituto Saratoga e na Pesquisa do *Best Place to Work Institute*).

- KAMBIO – (MAR 2002 – JUN 2005)

  Montadora multinacional de automóveis de origem alemã, com faturamento no Brasil de R$ 2 bilhões e 21 mil funcionários.

- GERENTE DE RH – SÃO PAULO (2002 – 2005)

  Reporte ao Diretor de RH, com equipe de 18 pessoas.

  Fui responsável pelo atendimento de RH para a área Comercial (Marketing e Vendas), sendo membro da equipe de liderança e com reporte matricial para o Vice-Presidente Comercial.

  Coordenei o projeto de definição da estratégia de segmentação de clientes, liderando uma equipe multifuncional com representantes das áreas de TI, marketing, negócios, operações e RH.

  Defini o programa de comissionamento para a equipe de Vendas.

- EUROMONEY BANK – (AGO 1996 – FEV 2002)

  Banco de investimentos de origem húngara.

- GERENTE DE DESENVOLVIMENTO – SÃO PAULO (2000 – 2002)

  Reporte ao Diretor de RH da América Latina, com equipe de 2 pessoas.

- SÊNIOR HR CONSULTANT – NEW YORK (1998 – 2000)

  Reporte ao Diretor de RH da América Latina.

- CONSULTOR DE RH SÊNIOR – SÃO PAULO (1996 – 1998)

  Reporte ao Diretor de RH para o Brasil.

  Fui responsável pela implementação dos programas de desenvolvimento de lideranças no Brasil e demais países da América Latina onde o banco já atuava (Argentina e Chile).

  Participei do *startup* do banco no Brasil dando apoio ao recrutamento e seleção das equipes comercial (marketing e vendas) e de *backoffice* (IT, RH, administrativa) e implantando as políticas de RH da matriz.

- ENGETEC INDÚSTRIA – (MAI 1990 – ABR 1996)

  Empresa nacional de comércio de materias para Construção Civil.

- CHEFE DE DESENVOLVIMENTO DE RH – (1994 – 1996)

- Analista de RH – (1993 – 1994)
- Auxiliar de Escritório – (1990 – 1993)

Formação acadêmica

Mestrado em Administração – USP, 2007.

MBA – PUC-SP, 2002.

Graduação em Psicologia – PUC-SP, 1994.

As dúvidas mais comuns

Quantas páginas deve ter um CV?

Duas páginas são suficientes. A menos que o candidato seja mais maduro e tenha uma longa experiência – neste caso, pode ser de até três páginas. Se escrever mais do que isso, pode ter certeza: não vão ler.

E quanto à aparência do CV: até que ponto é válido "caprichar"?

Um currículo deve impressionar pelo conteúdo, pela clareza e concisão com que apresenta as informações essenciais do candidato. Simplicidade: esse é o segredo. E isso deve se traduzir numa diagramação discreta, sem floreios: use tipografia convencional (Arial, por exemplo), corpo 11 ou 12, letras pretas sobre fundo branco. Hoje, a maioria dos currículos é encaminhada via e-mail, em arquivo .doc ou .pdf. Mas, caso tenha que enviar uma versão impressa, mantenha a simplicidade: use papel comum, tamanho A4.

Dados pessoais ajudam ou atrapalham?

Na verdade, eles podem atrapalhar – além de não acrescentarem absolutamente nada sobre se a pessoa é boa ou não para determinada posição. Embora a legislação brasileira proíba, muitos entrevistadores têm o mau costume de enveredar pelo lado pessoal nas perguntas. E, às vezes, o próprio candidato dá a deixa, ao fornecer estes dados já no currículo: endereço, idade, estado civil e até o número de filhos. Mas, cá entre nós: o que o número de filhos pode sugerir a respeito de sua capacidade profissional?

Vale a pena incluir uma foto?

Não. A menos que seja para uma posição de modelo ou ator, a foto só irá contribuir para o perigoso quesito "informações demais" – que, em geral, funciona contra o candidato: não só não acrescenta nada, como ainda abre espaço para discriminações (de idade ou raça, por exemplo), e lá se vai uma chance de sobreviver à triagem...

Por que não fornecer dados sobre a documentação? (Mais cedo ou mais tarde eles vão pedir mesmo...)

Muitos currículos costumam incluir aquela lista enorme de documentos pessoais: RG, CPF, carteira de trabalho, referências bancárias etc. Na verdade, tudo isso só vai ser importante no final – na hora da contratação. Mas, antes disso, eles só atrapalham, ocupando espaço no principal documento que você precisa apresentar, no início: um currículo ágil, enxuto e fácil de ler.

Devo incluir o segundo grau, na escolaridade?

Isto só tem alguma relevância no currículo de um principiante, recém-formado ou ainda na Universidade. A menos, é claro, que o candidato (a um cargo técnico mais simples, por exemplo) não tenha nenhum curso superior. Em qualquer outro caso, não faz sentido – e só ocupa espaço.

Devo incluir um objetivo?

Depende. Você só deve fazer isso se a vaga tiver sido divulgada – e você estiver customizando o CV especificamente para ela. Ao incluir o objetivo, você deixa claro que está interessado apenas naquela posição – o que é uma desvantagem, na medida em que limita o alcance de seu CV (e o tempo dedicado à sua leitura). A dura realidade é que, nesse momento, a empresa não se importa com seus objetivos pessoais: ela tem uma necessidade a ser resolvida, e sua prioridade fica em segundo plano. E, como o objetivo sempre limita, há também o risco de seu CV ser eliminado, logo na primeira triagem.

Devo incluir a razão pela qual deixei uma empresa?

De jeito nenhum! Isso é excesso de informação. Certamente, você terá que falar sobre isso na entrevista. No CV, pode representar apenas mais uma brecha para uma interpretação subjetiva do selecionador – ou seja, uma chance a menos de vir a ser chamado para a entrevista.

E os gostos pessoais, como lazer e *hobbies*?

Não! Talvez você venha a responder a algumas perguntas sobre isso durante uma entrevista – mas apenas como técnica para "quebrar o gelo". No currículo, não é necessário. Será que o modo como você desfruta de seu tempo de lazer pode mesmo revelar algo a seu respeito? De forma geral, acredita-se que esportes radicais sejam para pessoas ativas e competitivas, e que a prática de esportes coletivos sugere espírito de equipe. E mais: *hobbies* como leitura ou arqueologia indicam uma mente curiosa; pessoas criativas gostam de música ou pintura. Já a participação ativa em organizações filantrópicas revela sinais de liderança e preocupação social. Mas cabe perguntar: será mesmo simples assim?

Viagens internacionais podem enriquecer o CV?

Viagens internacionais a trabalho podem ser um fator importante a merecer destaque dentro da parte referente à experiência profissional, na descrição de suas realizações – e não como um item à parte. Para quem estiver lendo o currículo, o que importa não é a viagem, mas o trabalho em si. Viajar para o exterior já se tornou comum: você não irá se destacar só por isso.

É importante ter conhecimentos de informática?

Sim. Dominar algumas ferramentas básicas de informática já se tornou exigência rotineira: você sempre vai precisar delas. Mas não precisa incluir no currículo – a menos que você seja profissional de informática, e neste caso, faz parte de suas competências ser fluente numa gama bem mais ampla e sofisticada de ferramentas, linguagens e certificações. "Excel intermediário" ou "Word avançado" todo mundo sabe – não é nenhum diferencial.

O que um profissional experiente (com 30 anos de carreira, ou que tenha trabalhado em cinco ou mais empresas) deve colocar ou eliminar?

Ser mais maduro e já ter uma longa experiência pode parecer um complicador, na hora de elaborar um currículo conciso e direto. Mas nem tanto: o recomendável, aqui, é enfatizar a descrição das últimas três empresas, ou dos últimos 10 anos de trabalho – aquilo que causar melhor impressão, em termos de competências e resultados. As anteriores podem vir em seguida, mais condensadas. Certamente, é importante mencioná-las – mas sem perder de vista que, de certa forma, experiências profissionais com mais de 10 anos já são "tecnologia" ultrapassada.

Como justificar eventuais "lacunas" no CV?

Intervalos de tempo na carreira podem acontecer – e não devem ser omitidos. O importante é *ter como justificar*. Por exemplo: se você parou de trabalhar para concluir algum curso, basta que este dado esteja incluído na parte sobre formação acadêmica, e pronto – as datas vão confirmar. Mas, se o motivo for mais complexo (problema de saúde ou em família, desemprego prolongado), melhor preparar uma boa explicação para a hora da entrevista. O importante é não inventar ou mentir – porque isso não tem justificativa.

Afinal, se não existe o CV ideal, é válido preparar várias versões?

Sim. É válido (e até recomendável) ter mais de uma versão, principalmente se você estiver buscando posições diferentes – nestes casos, é importante direcionar cada currículo, dando destaque a aspectos diferentes. É também por isso que o CV só é encaminhado depois de uma conversa pessoal. Desta forma, você pode "customizá-lo" para o requisitante. Mas cuidado com o exagero: trabalhe, no máximo, com três versões. Do contrário, você corre o risco de acabar se confundindo e, depois de algum tempo, não se lembrar direito de qual currículo enviou para esta ou aquela empresa.

Devo incluir meu salário atual ou pretensão salarial?

Nunca! A menos que você queira dar um tiro no própio pé. Ainda é muito cedo para tratar de salário: se sua pretensão for alta demais, você será cortado do processo logo de entrada; e, se for baixa, você vai limitar seu potencial de ganho. Há um capítulo especialmente dedicado a isso, mais adiante – mas desde já posso repetir um conselho que ouvi do melhor vendedor que conheci (um corretor de imóveis de Houston, e que também era campeão estadual de pôquer): "Nunca seja o primeiro a estabelecer valores".

Quando devo enviar uma versão do CV em inglês?

Só quando for solicitado. Normalmente, será pedido quando se tratar de uma vaga em empresa multinacional. Mas você deve estar preparado para isso e ter uma versão "profissional" pronta. Não economize nessa hora. Contrate um professor nativo no idioma para fazer a versão. Por melhor que seja o seu inglês, ele não é nativo e isso pode subtrair pontos da primeira boa impressão que você deseja causar.

Teste seu CV

O objetivo do CV é um só: conseguir a primeira entrevista. Ele é a oportunidade de colocar seu pé na porta. Mas lembre-se de que esse *momento da verdade* dura apenas 40 segundos.
A esta altura você já deve ter um CV preparado. Vamos ver se ele tem chance de sobreviver. E, para que isso ocorra, você deve ser capaz de dizer sim a *todas* as questões abaixo. Entregue o seu CV a um amigo e peça pra ele responder honestamente:

- O CV convida à leitura? O *typeset*, o *layout*, as margens, o alinhamento e o equilíbrio entre texto e espaço em branco – tudo sugere uma leitura fácil? Você fez um uso comedido de negrito, sublinhado, itálico e outros elementos de *design*? Ficou visualmente agradável?;
- O seu CV está "limpo", sem erros de digitação, gramática ou sintaxe?;
- Incluiu todas as datas?;
- Incluiu seu nome e uma forma objetiva de contato?;
- Manteve o currículo com duas páginas? Ou, pelo menos, está com um tamanho apropriado para o seu nível de experiência? A quebra de página está correta?;
- O currículo é específico, claro e objetivo?;
- É fácil identificar o objetivo?;
- Rotulou as sessões importantes? E as incluiu na ordem correta?;
- Colocou a experiência profissional em ordem cronológica inversa?;
- O CV contém uma lista das suas realizações mais importantes?;
- Os resultados das realizações estão quantificados através de números, valores percentuais ou financeiros, ou outras medidas concretas?;
- Você utilizou os verbos do trabalho?;
- Cada informação incluída no CV é relevante para quem está lendo e dá suporte às suas aspirações profissionais?;
- Você deixou de fora informações pessoais e sem relevância profissional, tais como estado civil e idade? A sessão "Outras Informações" é realmente relevante?;
- Você incluiu palavras-chave que vão chamar atenção tanto no filtro visual quanto eletrônico?

Em suma, será que seu CV vai conseguir abrir aquela porta desejada?

Capítulo 6

Entrevista (I): a hora H do RH (o ponto de vista da empresa)

Então seu currículo se destacou e você conseguiu ser convidado para uma entrevista. E agora? Como se preparar? Para usar mais uma vez a expressão de Jan Carlzon, a entrevista é um dos três *momentos da verdade* do processo de seleção – junto com a elaboração e apresentação do CV e o processo de *networking*. Aqui, mais do que nunca, você vai precisar dar o melhor de si, para impressionar o entrevistador. Aqui, mais do que nunca, *você não pode falhar*.

O que as empresas estão procurando? Em poucas palavras: elas procuram pessoas que tragam soluções e não mais problemas. E para falar ainda mais claro: elas querem pessoas que gerem mais dinheiro do que aquilo que custam. É bom lembrar que você não tem que ser "o melhor", numa escala hipotética ou abstrata. Você tem que ser melhor do que os outros candidatos. E é a empresa quem vai fazer a comparação.

Comparação: essa é uma palavra-chave. O escritor inglês Lewis Carroll explicou certa vez que criou o atrapalhado Coelho Branco, personagem do clássico *Alice no País das Maravilhas* (aquele que estava sempre apressado), para contrastar com a imagem de Alice e representar exatamente o seu oposto. Carroll não fez isso à toa: na vida ou na literatura, qualidades e defeitos, pontos fortes e pontos fracos, experiência e inexperiência – tudo se torna mais nítido ao ser comparado com seu oposto, tal como o vigor da pequena Alice e a fragilidade do velho Coelho.

No processo de busca sistemática do emprego que você deseja, acontece algo bem parecido. Suas competências e seus pontos fortes vão ser postos em comparação com um fator fundamental e incontornável: *aquilo que a empresa está procurando*. Enfrentar e vencer o desafio só depende de você.

Antes de mais nada, tenha em mente que seu objetivo numa entrevista deve ser um só: conseguir ser chamado para a próxima entrevista. Porque você pode ter certeza desde já de que vai passar, não por uma, mas por várias entrevistas. E isso porque elas costumam ser feitas em três níveis: a primeira será com o profissional de uma consultoria (se houver, é claro) responsável pela primeira triagem; a segunda, com o pessoal do RH da própria empresa; e a terceira (que só os finalistas fazem) será com o chefe. Geralmente, a consultoria entrevista de cinco a oito candidatos, dos quais apenas três ou quatro chegarão a ser entrevistados pelo RH da empresa contratante. O chefe verá apenas dois ou três candidatos. Esta sequência terminará com um *não* ou com uma proposta de trabalho.

Na verdade, todo candidato a um novo emprego vive numa permanente entrevista, mesmo sem se dar conta disso. Telefonemas, encontros com novos contatos, e até conversas aparentemente informais com *headhunters* ou potenciais empregadores – tudo isso é *entrevista*. Por isso, é preciso estar *bem* preparado o quanto antes. Afinal, pelo menos uma característica você tem em comum com o Coelho Branco da Alice: você também já está atrasado!

Histórias, mais do que respostas: o modelo STAR e as entrevistas por competências

Não basta você *afirmar* que possui as competências e que seus pontos fortes são aqueles de que a empresa necessita: você vai ter que *mostrar* isso. E o melhor caminho é se preparar para *contar histórias*, e não simplesmente para *responder perguntas*. No capítulo sobre competências, você aprendeu a *contar* (ou melhor, a *montar*) essas histórias. Na verdade, você estava se preparando para se submeter ao modelo que nós, profissionais de Recursos Humanos, avaliamos os candidatos – e que apresentei ali, mas sem revelar o nome.

Vou revelar agora: é o chamado *modelo STAR* – sigla formada pelas palavras em inglês *Situation* (situação), *Task* (tarefa), *Action* (ação) e *Results* (resultados). É assim que as empresas selecionam os melhores candidatos a suas posições em aberto: traduzindo sua experiência profissional em histórias feitas de situações, tarefas ou desafios, ações implementadas e resultados atingidos (e devidamente quantificados). Isso vale para a elaboração do currículo, para os contatos de *networking* e – principalmente – para o momento crucial das entrevistas.

Na verdade, os profissionais de RH estão procurando algo que vai além dos simples resultados de ações implementadas para enfrentar cada desafio ou situação: eles querem conhecer o *modus operandi* – a maneira *como* você chegou lá.

O modelo STAR se baseia no princípio de que seu desempenho *anterior* é o melhor indicativo do desempenho *futuro*. Sua aplicação reduz a interferência de impressões e preconceitos pessoais, ao mesmo tempo que limita as possibilidades do candidato "enganar" o entrevistador. Mais do que nunca, seu passado se torna aqui uma janela para o futuro.

Atualmente a habilidade técnica já não é o fator preponderante no processo de seleção e contratação de um profissional. O foco são as *competências comportamentais*. E há razões de sobra para isso: afinal, a técnica pode ser treinada e adquirida, ao passo que comportamentos raramente podem ser mudados. Neste sentido, a *entrevista por competência* segue sempre o modelo de competências da empresa – ou seja, o conjunto das competências desejadas para os empregados e necessárias para o sucesso naquele ambiente empresarial e de negócios. E tudo isso (como já foi mostrado antes) vai estar refletido na descrição específica do cargo em aberto.

> O modelo por competências se baseia no fato de que o *desempenho passado* de um profissional é a melhor evidência de seu *desempenho futuro*. Por isso ele concentra sua busca nos exemplos concretos de situações em que essas competências foram demonstradas, tanto na vida profissional quanto na pessoal. Não é à toa que ela é a técnica de seleção que assegura a melhor adequação do candidato à vaga em aberto, aumentando as futuras chances de sucesso, desempenho superior e satisfação do candidato escolhido.

Acompanhe alguns exemplos, para entender melhor como funciona:

Adaptabilidade	
Definição da competência	Capacidade de se adaptar a diferentes pessoas, situações e às mudanças no ambiente de trabalho.
Algumas perguntas que abordam essa competência	• Vejo que você já mudou de cidade algumas vezes. Qual foi a maior dificuldade enfrentada nessas mudanças? Como você a superou? • Descreva uma situação em que você tinha que entregar um projeto num determinado prazo, mas seu trabalho era constantemente interrompido. Qual foi o maior obstáculo e por quê? • Fale-me sobre dois membros da sua equipe que sejam diametralmente opostos. Como você gerencia ou lida com cada um? Dê exemplos.
Uma resposta no formato STAR	Bem, realmente eu já mudei de cidade algumas vezes (*S*). Gosto de fazer isso, pois me dá a possibilidade de conhecer pessoas e lugares novos – e também de aprender e fazer coisas novas. Penso que minha rede de amigos é muito maior por conta dessas mudanças (*R*). Mas não é simples. Há dificuldades importantes. Deixar família e amigos é um dos grandes inconvenientes (*T*). Mas, como essas decisões são tomadas em família, todos nós sabemos e aceitamos as consequências. Hoje em dia é fácil e barato manter contato com pessoas que estão distantes. Mantemos contato frequente com todos, e não apenas em datas especiais: sempre visitamos e recebemos visitas de amigos – o que possibilita o objetivo de conhecer e explorar lugares novos (*A*).

Repare que a ordem dos componentes do STAR na resposta não é necessariamente linear. E também que utilizei um exemplo da vida pessoal. S = mudanças frequentes de domicílio. T = mudar sem prejuízo das amizades. A = explorar a modernidade para manter laços de amizade ativos. R = uma rede de amigos ampla e ativa.

PODER DE INFLUÊNCIA	
Definição da competência	Usar estilos e métodos interpessoais adequados para inspirar e orientar indivíduos (subordinados, colegas ou superiores) para a obtenção aprimorada de metas. Modificar os comportamentos para acomodar tarefas, situações e indivíduos envolvidos.
Algumas perguntas que abordam essa competência	• Dê exemplo de uma situação em que você precisou se esforçar para convencer alguém a fazer um bom trabalho. • Dê exemplo de uma situação em que você precisou da ajuda de alguém de fora da sua equipe, departamento ou empresa, de modo a garantir o sucesso de um projeto. • Gerentes normalmente dispõem de pouco tempo para identificar e resolver problemas durante a execução de um projeto. Dê o exemplo de uma situação em que você precisou intervir de maneira rápida e assertiva no ritmo de um projeto. O que aconteceu? E como o time reagiu?
Uma resposta no formato STAR	O projeto de implementação do sistema de notas fiscais eletrônicas estava correndo o risco de não ser entregue no prazo, porque uma série de prioridades menores estavam desviando a atenção de alguns membros da equipe (*S*). Reuni o grupo para conversar e identificar o que estava atrapalhando o projeto (*T*). O primeiro ponto da reunião foi estabelecer a prioridade do projeto sobre as outras demandas. Isso ficou claro quando revisamos em conjunto todas as demandas e as comparamos com as necessidades do negócio: todos se convenceram de que o projeto era o nosso principal produto, pelo qual todos seríamos recompensados e reconhecidos. Depois de conseguir o comprometimento dos membros, o passo seguinte foi ajustar o *workload*. Listamos todas as demandas com as quais estávamos lidando – as outras tarefas eram pontuais, precisavam ser resolvidas, mas não agregavam o mesmo valor à empresa. Em seguida, priorizamos as distrações entre importantes, urgentes e as sem nenhum valor agregado. Encarreguei dois membros do grupo de negociar essas demandas com as áreas requisitantes, eliminando parte do trabalho e adiando outras. A partir daquele momento, essas duas pessoas também ficaram encarregadas de continuar a filtrar qualquer demanda nova (*A*). Graças a isso, os demais foram protegidos das interrupções e puderam se dedicar integralmente. Tirei um dia para essa reunião, mas valeu a pena: ganhamos muito em agilidade, a partir daquele momento. No início, o time ficou nervoso: aparentemente, aquele seria um dia de trabalho jogado fora – além de ficarem preocupados com o que as pessoas diriam, quando negássemos seus pedidos. Mas o fato é que os solicitantes entenderam nossa questão. Muitos nem sabiam o quanto aquele projeto consumia – e então, conscientes das nossas prioridades, colaboraram. Conseguimos entregar o projeto no prazo e aprendemos bastante (*R*).

INICIATIVA	
Definição da competência	Capacidade de propor e/ou empreender alguma coisa, saber agir, ser dinâmico e ousado, ser proativo prevendo oportunidades, identificando problemas, agindo com rapidez e eficiência.
Algumas perguntas que abordam essa competência	• Fale de algum projeto extracurricular realizado na Universidade. • Como você conseguiu a sua posição na empresa (nome do atual empregador)? • Fale de uma venda que exigiu mais de você. O que aconteceu? Quais foram os resultados?
Uma resposta no formato STAR	Eu tenho um cliente que trabalha comigo há muitos anos, o Atacadinho ABCD (*T*). Recentemente, uma empresa concorrente ofereceu uma condição de pagamento muito mais vantajosa do que a nossa, com desconto e prazos maiores de pagamento. Como não existe contrato de exclusividade, esse cliente praticamente parou de comprar conosco (*S*). Não é nossa política fazer guerra de preços. Mas, munido das estatísticas de volume desse cliente e do aumento da margem de participação que o produto concorrente já havia conseguido em áreas atendidas pelos meus colegas, eu até consegui justificar condições melhores para o cliente, junto ao meu diretor. Mesmo assim, não se equiparava ao que o concorrente oferecia – o que, provavelmente, iria dar início a uma guerra de preços, em que todos sairiam perdendo. Então preferi investir mais pesado em ações de *merchandising* com outros clientes na mesma região (*A*). Isso conseguiu inibir a expansão do concorrente; e vendo que outros estabelecimentos comerciais estavam vendendo mais dos meus produtos, em pouco tempo o cliente voltou a comprar comigo (*R*).

INOVAÇÃO	
Definição da competência	Capacidade de se manter atualizado e empregar o conhecimento adquirido para gerar resultados inovadores, que tragam melhorias para o trabalho.
Algumas perguntas que abordam essa competência	• Comente uma ideia criativa cuja implementação aprimorou um dos produtos ou serviços da empresa em que você trabalha. • Na sua posição atual, o que você tem feito diferente dos seus antecessores? • Dê exemplo de uma situação em que sua maneira habitual de atuar não funcionou. O que você fez?
Uma resposta no formato STAR	Vou dar um exemplo de quando precisei mudar bastante minha maneira natural de fazer as coisas. Nunca tive muitos obstáculos nesse sentido, mas conquistei uma nova amizade modificando minha maneira de trabalhar com determinada pessoa (*R*). Em Recursos Humanos, meu trabalho se dá através das outras pessoas. Me deparei com determinado gerente, o Roberto, que não executava os processos de pessoas com o mesmo afinco dos outros (*S*). Como sempre faço, concentrei minha argumentação nos objetivos dos processos e nos ganhos organizacionais a serem obtidos – mas, essa estratégia não funcionou com ele. E olhe que já havia dado certo em inúmeras outras situações, com outros gerentes (*T*). Quando descobri que ele tinha um melhor amigo na empresa, fui até ele e perguntei como deveria fazer para trabalhar melhor com o Roberto. Ele sugeriu que eu me aproximasse mais dele, pedindo sugestões e *feedback* a respeito dos processos de pessoas (*A*). Passei a fazer isso e a incorporar algumas de suas sugestões, e – para minha surpresa – Roberto agregou valor, e se tornou um dos maiores defensores daquilo que fazemos no RH. (*R*)

Definitivamente, a ordem não é linear – neste último exemplo, o resultado está distribuído pela resposta. Repare que todas as perguntas são *abertas*: exigem bem mais do que um simples "sim" ou "não", criando abertura para respostas mais extensas e elaboradas. O objetivo é muito claro: fazer você falar e contar suas histórias. Portanto, aproveite e responda com exemplos concretos e específicos de situações em que demonstrou as competências que estão sendo buscadas pelo empregador. Evite comentários gerais ou vagos. E o mais importante: não descreva como você *agiria* e sim como você *agiu* numa situação determinada.

Alguns *maus exemplos* podem ajudar a esclarecer um pouco mais tudo isso.

Eis o que você *nunca* deve fazer:

Dê um exemplo de algo que deu errado no trabalho e que hoje você faria diferente, caso tivesse oportunidade.	(Digamos que, depois de alguns momentos de silêncio, o candidato responda) *Huuum, realmente não consigo pensar em nada. Não me arrependo de nada do que fiz e, sinceramente, tudo que eu faço dá certo.* Puxa! Até Steve Jobs, Walt Disney, Barack Obama e Bill Gates cometeram erros. Você não?! A resposta não é apenas arrogante: ela não for- nece absolutamente nenhum material para o entrevistador avaliar sua experiência.
Fale de um projeto importante que você tenha liderado.	*A implentação do sistema de qualidade. A Mara era a líder do projeto. Foi difícil, mas muito bom porque aprendemos muito. A empresa inteira precisou se envolver: foram seis meses de trabalho até a auditoria final de certificação. Escrevemos vários procedimentos, tivemos muito treinamento. Eu gostei muito de trabalhar nesse projeto. Foi difícil, mas gratificante.* Acho que não é necessário comentar essa resposta. Você pode pensar que estou exagerando para efeito de ilustração, mas ficaria surpreso se soubesse a frequência que profissionais de RH ouvem respostas vagas como esta. O candidato até *falou* bastante, mas não *disse* nada.
Comente uma ideia criativa que você conseguiu implementar no seu trabalho atual	*Eu até sou um cara criativo. Tenho exemplos de ideias que implementei no meu emprego anterior, mas nessa empresa atual não existe liberdade para criar muito. Os chefes inibem a nossa iniciativa e dizem não pra qualquer coisa nova. O ambiente é muito conservador e a maioria das pessoas tem muito tempo de casa.* OK, obrigado. O próximo candidato, por favor! (É este o seu objetivo?)

Agora é sua vez de praticar. Volte nos exemplos e escolha algumas perguntas para responder. Primeiro, responda em voz alta; em seguida, escreva-as e tente identificar os componentes do STAR. Avalie com bastante rigor sua resposta, para ver o quanto se alinhou com o modelo. Veja o que ainda deve ser melhorado – e continue praticando até ter certeza de que dominou a técnica.

O que realmente importa

No fundo, o que seu futuro chefe e seus representantes estão querendo saber (e o que vai ser levado em consideração, na análise posterior da entrevista, e nas deliberações com os demais entrevistadores e com o pessoal de RH) pode ser resumido em apenas quatro perguntas:

- Você será capaz de realizar o trabalho? Que competências pessoais tornam você único (e mais adequado do que todos os outros candidatos entrevistados)?
- Será que você está alinhado com a cultura e os valores corporativos? Você será capaz de produzir bem junto com as pessoas que já trabalham na empresa?
- Qual o seu "algo a mais"? O que você oferece além das competências essenciais necessárias para o momento atual?
- Finalmente: quanto você vai custar?

Certamente, as perguntas não serão assim diretas – mas, no fim das contas, é isso que se está buscando entender. A essa altura, a primeira pergunta já está mais ou menos respondida pelo CV e pelas sondagens iniciais. E, ao longo da entrevista, você vai tratar de responder às duas seguintes – e evitar a última a todo custo. Mesmo que o entrevistador não pergunte, você criará as oportunidades para passar o recado.

Ninguém pode se preparar à base de truques ou atalhos – mas existem algumas dicas que vão ajudar na hora de responder à segunda e à terceira perguntas:

Aproveite a oportunidade para mostrar todo o seu potencial – ou seja, aquele *algo mais* que só você tem para contribuir.

Use as informações que obteve do seu interlocutor para ilustrar como você já realizou tarefas ou resolveu problemas semelhantes.

Capriche no *algo mais* – para que ele possa efetivamente significar algo relevante: potencial de crescimento, capacidade de dar treinamento e desenvolver a equipe (e seus sucessores), mas também o conhecimento de outra indústria e sua rede pessoal de relacionamentos que agregará valor ao negócio da nova empresa.

Finalmente: como "contornar" a última pergunta?

Na verdade, a questão do salário deve ser evitada, até você ter certeza de que a empresa deseja realmente contratá-lo. Procure não ser o primeiro a mencionar números – mas, se for pressionado, dê uma faixa que seja aceitável para você. Ou então trate de devolver a pergunta: "Bem, pelo que eu sei, a posição não é nova na empresa e está inserida num organograma. Com certeza, já existe um plano de cargos e salários prevendo uma faixa para ela. Qual é essa faixa?" E, caso lhe façam uma pergunta bem direta ("Qual o seu salário atual?"), responda: "Acho que isso seria comparar duas coisas muito diferentes: minha posição atual e a posição para qual estou concorrendo". Ou então: "Tenho expectativa de um salário compatível com a responsabilidade da posição. Em quanto vocês estavam pensando?"

As etapas da entrevista (e como enfrentar cada uma)

O tipo de entrevista costuma variar de acordo com a cultura da empresa e o perfil da posição em jogo: ela pode ser formal ou informal, e feita de perguntas-padrão, improvisadas ou mesmo "inesperadas". Mas, diferenças à parte, quase todas as entrevistas obedecem a um mesmo ritmo e passam pela mesma sequência de *etapas*.

A *etapa preliminar* (ou "quebra-gelo") costuma ser dedicada às apresentações e algumas amenidades. O objetivo é tentar fazer com que o entrevistador e o entrevistado fiquem mais confortáveis e entrem em sintonia para a conversa que vai começar em seguida. Um bom caminho para isso é conseguir estabelecer alguma espécie de vínculo – amigos ou conhecidos em comum, um mesmo *hobby* ou escola, no passado. Assim, as coisas ficarão mais fáceis – mas, se não for possível, relaxe, não é nenhuma "tragédia".

Também é possível que o entrevistador (por falta de tempo ou excesso de objetividade) pule estas preliminares e já comece direto pela *primeira etapa* da entrevista propriamente dita. É a hora em que você deve falar sobre seu passado – para deixar bem claro que você trabalha duro, tem iniciativa e possui as competências técnicas e comportamentais para o cargo. Uma boa maneira de fazer isso é começar anunciando, de maneira clara e objetiva: "Vou falar das minhas experiências passadas e como minhas habilidades, conhecimentos e atitudes beneficiaram as empresas e aqueles para quem eu trabalhei."

Em seguida, conte suas histórias – aquelas que você preparou, desde a elaboração do CV. Mas conte sem floreios, adjetivos ou advérbios. Procure seguir este modelo simples e direto: "No momento, trabalho para a empresa (*nome da empresa*) na posição de (*nome da posição*). Minhas responsabilidades incluem (*descreva: responsabilidades e dimensões da posição, tamanho da equipe, orçamento, processos e sistemas, investimentos, principais clientes e interfaces*)."

Use sempre linguagem simples, sem os jargões ou siglas típicos de cada área técnica. E procure ter certeza de que o interlocutor está acompanhando o que você diz. Descreva, então, suas principais realizações (o *que* e o *como*) nessa função. E depois explique, *em termos positivos*, por que você saiu ou pretende sair da empresa. Lembre-se de que esse motivo deve estar alinhado com seus objetivos de carreira e com seu crescimento pessoal e profissional. Portanto, seja específico: expressões genéricas ("mudanças organizacionais", "a empresa foi comprada", "fizemos um acordo", "já era hora") não esclarecem nada – ou seja, não somam aos seus argumentos de "venda".

O passo seguinte é repetir o modelo acima para as duas ou três funções (ou empresas) anteriores: "Antes, trabalhei na empresa (*nome da empresa*)" – e assim por diante. Isso vale também para as posições mais relevantes dos últimos dez anos. Para informações anteriores a isso (e que você considere relevantes), faça descrições mais genéricas e breves.

Lembre-se de que você deve ser o mais claro e sucinto possível, de modo que cada história dure (no máximo) de dois a três minutos. No total, não gaste muito mais do que dez minutos nessa apresentação. Depois, respire, sorria e se prepare para a etapa seguinte. Se houver espaço, faça uma *pergunta de transição*: "Baseado no que você ouviu e no perfil da posição em aberto, sobre o que você gostaria de conversar com mais detalhe?".

Essa pergunta cria a oportunidade para que o entrevistador revele aquilo em que ele realmente está interessado – e para que você explore isso a seu favor. Além disso, com esta pergunta você estará também forçando a transição para a etapa seguinte da entrevista.

Na *segunda etapa* da entrevista (ou *interrogatório* – mas, calma, não se assuste com este nome), o comando caberá ao entrevistador: você deve estar pronto para responder às perguntas. Aqui, seu sucesso vai depender da capacidade de aplacar as dúvidas e receios do entrevistador. Através de respostas objetivas e informações *mais específicas*, mas também mais elaboradas do que na etapa anterior, procure demonstrar que você conhece a empresa (porque fez "o dever de casa") e tem interesse nela; que entende o "problema" que a posição em aberto está causando e sabe como resolvê-lo; e também que está alinhado com a cultura da empresa.

Não esqueça de dar suas respostas sempre no formato STAR. Seja objetivo e econômico nas palavras – mas evite uma linguagem lacônica ou telegráfica: desenvolva uma conversa fluente. E, sempre que puder, ou sentir necessidade, faça perguntas.

Após cerca de 30 minutos de interrogatório, prepare-se para uma nova *transição*.

A partir da *terceira etapa* (prevista para você fazer suas perguntas), a conversa pode seguir em várias direções. Se tudo estiver correndo bem, chegou a hora de você assumir o controle – e fazer as perguntas que você preparou. Lembre-se de que seu objetivo permanece o mesmo: diferenciar-se de todos os outros candidatos já entrevistados e convencer o entrevistador de que você é a solução ideal – e, se esta não for ainda a entrevista final, sua meta (bem específica) é continuar no processo e passar para a fase seguinte. O melhor caminho, aqui, é *conseguir mudar o foco da conversa para o futuro*, e reforçar seu entusiasmo pela função e pela empresa. (Veja mais adiante as perguntas que você deve fazer, principalmente as que garantem esta mudança de foco.)

"Assumir o controle da entrevista" significa: fazer com que o entrevistador lhe forneça informações importantes a respeito da empresa, da posição em aberto, do processo seletivo – e até sobre ele mesmo. Todos estes dados vão ser muito úteis para você se *vender* ainda melhor (nesta e nas futuras entrevistas). E também para ajudá-lo a decidir se aquele é, efetivamente, o emprego que você tanto almeja. Portanto, não precisa ter medo de fazer perguntas: seu interesse vai fazer o entrevistador sentir que está investindo em você – o que aumenta o comprometimento dele (em detrimento de outros que "exigiram" menos).

Este também é o ponto exato da entrevista para você começar a fazer perguntas mais pontuais e diretas. Algumas delas: qual o trabalho específico da posição em aberto; qual o tipo de responsabilidade; o que a empresa espera do novo ocupante da vaga; quais serão os critérios de avaliação de seu desempenho; quais as características necessárias para ser bem-sucedido ali; quais as qualidades e fraquezas dos antecessores; como o entrevistador decidiu trabalhar na empresa. E assim por diante.

Bata na mesma *tecla*: com base em exemplos reais do seu passado, insista em que você está qualificado para a vaga. Seja mais específico, mais enfático e – portanto – mais direto do que nas etapas anteriores. Mas evite tornar-se repetitivo, ou inconveniente. Perceba o momento certo de parar, e se prepare para uma nova *transição* para a fase final da entrevista. (Neste ponto, cabem perguntas como: "Quantas pessoas vocês já entrevistaram para essa posição?", "Vocês já viram alguém que parece estar qualificado?", ou "Já fizeram alguma proposta?")

A entrevista se aproxima do fim: na *quarta etapa* (de encerramento), tenha como alvo ficar na memória do entrevistador como um ótimo candidato, garantindo assim a próxima entrevista ou a oferta de emprego. Mas, o mais importante é você sair dali deixando claro: "Gostei de tudo o que ouvi, e me parece uma boa combinação. O que eu tenho de fazer para conseguir a vaga?". Certamente, uma variação amena pode parecer menos agressiva – mas deixa espaço para alguma evasiva do entrevistador. Portanto, trate de mostrar que você quer *realmente* aquela vaga. (Talvez você ainda não tenha certeza disso, mas não importa: deixe para decidir depois, quando tiver uma proposta na mão.)

Finalmente pergunte até quando deve aguardar um contato e sugira que pretende ligar se não receber uma resposta dentro desse prazo. Antes de ir embora, agradeça pela oportunidade daquela conversa esclarecedora. Despeça-se de maneira discreta, sem nenhum exagero.

(Repare mais uma vez: o único ponto não abordado é a questão do salário. Na verdade, ele tem mesmo que ser deliberadamente evitado pelos dois lados nessa fase do processo. Mesmo porque a empresa já sabe que você cabe no orçamento, pois o *headhunter*, a consultoria ou o próprio departamento de RH já investigaram isso. Do contrário, seria pura perda de tempo entrevistar você.

O QUE ELES PERGUNTAM (E O QUE ESTÃO REALMENTE QUERENDO SABER)

Como já deu para perceber, a entrevista se fundamenta numa conversa clara e objetiva entre o entrevistador e o entrevistado, com base em perguntas diretas, que você deve responder de forma clara, objetiva e sincera. Mas nem tudo é assim tão objetivo e direto numa entrevista: por trás das mais variadas perguntas do entrevistador, vão estar sempre aquelas quatro que vimos lá atrás, no início do capítulo. E nem poderia ser de outra maneira: afinal, elas sintetizam *aquilo que realmente interessa.*

Os entrevistadores treinados pelo pessoal de RH vão aparecer com um formulário – sinal de que fizeram o dever de casa (quer dizer, a leitura do CV e da descrição do cargo). Prepare-se para enfrentar uma bateria de perguntas, explorando questões específicas que os entrevistadores querem entender. Todas elas serão feitas no formato dos exemplos anteriores, segundo o modelo STAR. Mas é claro que você também pode ter que se deparar com entrevistadores despreparados, que vão perguntar qualquer coisa e que talvez nem tenham lido seu CV. Então, esteja pronto para tudo.

Eis uma lista das perguntas mais comuns (com a "decodificação" e algumas sugestões de respostas):

"Fale-me sobre você."

Usada muitas vezes para inaugurar a entrevista, a pergunta (aliás, bastante previsível) pode ser sinal de que o entrevistador não teve tempo de se preparar muito bem, e talvez não saiba por onde começar. Mas não se engane: *o mais provável* é que seja intencional e que ele esteja querendo verificar *o que você acha mais relevante, dentro da sua experiência.*

Como responder

Aja como foi sugerido na primeira etapa da entrevista. Nunca devolva a pergunta ao entrevistador, com algo do gênero: "Por onde você quer que eu comece?". Na pergunta, ele já está deixando claro que não *sabe* ou não *quer* dizer. Ou seja, é você quem decide. Fale do seu passado, suas posições e realizações anteriores, e do seu objetivo nesse momento. Resuma objetivamente o que o levou até ali. O ideal é responder a uma pergunta sempre em dois ou três minutos – mas, nesse caso, você pode se estender um pouco mais. Afinal, o entrevistador deu essa abertura.

"Por que você decidiu seguir esta profissão?"

Ao contrário do que possa parecer, esta não é uma pergunta tola. Na verdade, o entrevistador quer saber é o *quanto* você realmente gosta de fazer o que faz. Como disse Steve Jobs, amar o que se faz é importante – porque é daí que vem a automotivação.

Como responder

Aqui não cabem grandes explicações psicológicas ou frases de efeito. Simplesmente, procure demonstrar entusiasmo e paixão por seu trabalho. Sua resposta deve transmitir convicção – e nenhum arrependimento. E, acima de tudo, nunca passe a impressão de que tudo acabou acontecendo por acaso. Você é o dono do seu destino.

"Como você ficou sabendo da nossa empresa (ou da vaga)?"

O objetivo deste tipo de pergunta é saber até que ponto você realmente está interessado na empresa e na posição – ou se é apenas um francoatirador.

Como responder

Demonstrando conhecimento sobre a empresa e a vaga, você vai convencer o entrevistador de que não está "atirando às cegas" – mas também ganhará pontos inesperados com ele. E pela mais humana das motivações: todo mundo se sente lisonjeado, ao perceber que você investiu tempo e mostrou interesse em pesquisar, conversar, consultar, estudar e entender. Acredite: nas melhores empresas em que fui entrevistado, ouvi agradecimentos pelo meu interesse e tempo investido. Os entrevistadores se mostravam felizes em saber que sua empresa tem uma boa reputação no mercado, e que um profissional como eu estava interessado numa oportunidade com eles.

"Por que você deseja essa vaga?"
Variante: "De que tipo de trabalho você mais gosta?"

Na verdade, o entrevistador quer saber se você está realmente procurando uma posição como a que eles estão oferecendo – ou se está se adaptando às circunstâncias (necessidade pessoal, situação do mercado). Ou seja, apenas procurando um emprego.

Como responder

Explique seu interesse específico na posição em aberto, por meio de argumentos assertivos – baseando-se naquilo que você acabou de tomar conhecimento e/ou pesquisou previamente. Deixe claro que gosta de fazer esse tipo de trabalho. Ou então, caso não tenha feito o dever de casa, ou se ainda não teve a oportunidade de abordar o assunto com o entrevistador, procure inverter a situação, perguntando (por exemplo): "Bem, primeiro eu gostaria de ouvir um pouco sobre a posição e as habilidades requeridas".

Quais são seus pontos fortes e fracos?

Essa é uma pergunta clássica. A essa altura, o entrevistador já deve ter lido seu currículo e (dependendo da etapa da conversa) ouviu suas histórias. Portanto, o objetivo da pergunta é mais profundo e mais sutil: testar seu autoconhecimento e adequação à posição e *macth* com a futura equipe de trabalho.

Como responder

A verdade é que, apesar de "clássica", poucos sabem responder bem a essa pergunta. Em vez de se enveredar por um fraseado feito de adjetivos ou autoelogios, seja objetivo: mencione o *feedback* de líderes anteriores – e explique como você vem trabalhando seus pontos fracos, através de *exemplos positivos* de superação. Nesse caso, a opinião de terceiros é mais forte do que uma autoavaliação. Demonstra que, além de autoconhecimento, você pede e age quando recebe *feedback*. Lembre-se: as fraquezas não devem colocar em cheque sua habilidade de ocupar a vaga em disputa.

"Descreva a cultura corporativa da última empresa em que você trabalhou."

Simples e direto: o entrevistador pretende checar se o ambiente de trabalho da nova empresa é parecido com os ambientes onde você foi bem-sucedido.

Como responder

Fale de mais de uma empresa onde você trabalhou – procurando apresentar os aspectos bons e ruins de cada tipo de ambiente de uma forma positiva. Enfatize aquelas que têm uma cultura corporativa semelhante à da empresa que está pleiteando e como você foi bem-sucedido naquele ambiente.

"Qual a opinião de seus subordinados sobre você?"

O objetivo é avaliar sua capacidade de trabalhar em equipe – e também se você sabe pedir (e receber) o *feedback* profissional e pessoal daqueles que trabalharam (ou ainda trabalham) com você.

Como responder

O melhor caminho é o da sinceridade: dê alguns exemplos bastante objetivos de suas iniciativas para incorporar à sua rotina e seus métodos de trabalho o *feedback* de seus colegas e liderados.

"Qual foi seu maior arrependimento, ao longo da carreira?"
Variante: "Quais foram os principais desafios de sua carreira?"

Aqui, o entrevistador quer testar sua capacidade de aprendizado. Atenção: dizer que você não se arrepende de nada é burrice ou arrogância.

Como responder

Seja sincero. Usando a técnica objetiva de contar histórias narre seu erro, explique *por que* ele aconteceu (dê as razões reais, sem apelar para "desculpas") e comente o que você teria feito diferente agora – ou seja, mostre que você aprendeu, e como o aprendizado foi incorporado e aplicado em situações e desafios posteriores. Quanto aos desafios (quaisquer que tenham sido), descreva sempre *como* você os enfretou e os superou.

"Por que você saiu (ou foi demitido) de seu último emprego?"

O entrevistador está preparado para ouvir você falar mal da empresa anterior. De novo, ele está avaliando como você se encaixará no novo ambiente de trabalho.

Como responder

Surpreenda o entrevistador, com uma resposta assertiva: se você tomou a decisão de trocar de emprego, diga que você vai se sentir mais feliz (e dar o melhor de si) num ambiente diferente (*descreva-o*) e numa posição que exija mais de seus pontos fortes (*descreva-os*). Caso tenha sido demitido: explique as razões – e diga o que você aprendeu. Mas não invente reestruturações ou demissões em massa como justificativas – nem passe a impressão de que você larga um emprego logo que é contrariado ou se vê diante de grandes obstáculos.

"A posição parece pequena para você ..."

O entrevistador sugere algumas preocupações a seu respeito. Por exemplo: ele avalia que a posição é um *movimento lateral*, ou está abaixo de suas competências e experiências. Além disso, está testando seu autoconhecimento, e também está interessado em saber o que você gosta realmente de fazer.

Como responder

Aqui, vale a metáfora esportiva: é como se você estivesse em campo e alguém (o entrevistador) lhe passasse a bola na área adversária, sem goleiro na frente. Você precisa "apenas"... entrar com bola e tudo. Lembre-se: você ainda *não* precisa decidir se quer efetivamente aquela vaga. Por enquanto, seu objetivo é continuar no campeonato, e conseguir a próxima entrevista. Mas *nunca* minimize o que está sendo oferecido. Enfatize os seus pontos fortes (ou competências essenciais) e como eles estão alinhados com a necessidade dele. Relembre o seu potencial de crescimento. Insista que você tem interesse na posição e lembre a ele que, no fim das contas, é *o ocupante quem faz o cargo*. Quanto às suas outras qualidades, diga que elas lhe permitirão tornar a posição ainda maior, depois da curva de aprendizado.

"Quais são seus objetivos de vida?"
Variante: "Onde você quer estar daqui a cinco anos?"

O objetivo do entrevistador é checar alguns tópicos bem específicos: capacidade de planejamento, disciplina e níveis de ambição.

Como responder

Procure mostrar que o importante não é apenas ter metas, mas elaborar um plano para chegar lá. Convença-o de que o emprego em questão faz parte deste plano e vai somar para os seus objetivos. Mas atenção: não dê a impressão de que ele é apenas um trampolim para algo diferente em outra empresa, em curtíssimo prazo. Mostre que você quer estabelecer uma relação duradoura com esta empresa.

"O que você não gosta de fazer?"
Variante: "Qual a parte mais difícil do seu trabalho?

O entrevistador quer checar se existe consistência em tudo o que você disse até agora. Se, por uma infeliz coincidência, a vaga se caracteriza por uma tarefa da qual você *não* gosta.... Bem, você está fora!

Como responder

Procure ser cauteloso, jogando na defesa. Esclareça que, em qualquer trabalho, a parte mais difícil é sempre aquilo que vai contra a personalidade do profissional. E dê um exemplo: se você é engenheiro ou contador, ser vendedor seria muito difícil – e não apenas para você, mas para a grande maioria dos engenheiros. Se o entrevistador também for contador ou engenheiro, certamente se identificará com você.

Uma última dúvida: quantas entrevistas serão?

Entrevista de emprego sempre acontece no *plural*. Portanto, esteja preparado para fazer *várias entrevistas* para cada vaga que você estiver disputando – em minhas últimas buscas, nunca enfrentei menos de seis. Quanto maior e mais estruturada a empresa e mais alto o cargo, maior será o número de entrevistas que você terá que enfrentar. E, caso haja a intermediação de um *headhunter*, as duas primeiras conversas serão com ele – uma com os consultores do escritório, a outra com o sócio (que entrevista a lista de finalistas selecionados pelos consultores antes de passar os candidatos para o cliente).

Vencida esta etapa, as entrevistas serão com a própria empresa – nas de grande porte, a nova triagem começa pelo departamento de RH, encarregado de afinar a busca para o seu futuro chefe. Normalmente, você só irá conhecê-lo perto da etapa final. Mas não pense que acaba aí: por mais que tenha uma idéia clara do que deseja, ele próprio pode preferir dividir os riscos de sua decisão, pedindo a ajuda de seus pares ou superiores. Caso esteja disputando uma posição de destaque numa multinacional, você deverá ser entrevistado também por funcionários do exterior – provavelmente da matriz – através de vídeo, teleconferência, ou mesmo de uma viagem.

Na fase final, a dinâmica do processo de seleção passa a ser um pouco diferente: a empresa está entre dois ou três candidatos – e já não se concentra exclusivamente em você. E nessa hora, a mecânica é um pouco diferente. É a fase das *comparações*: o alinhamento com a cultura corporativa, a atitude, as referências e até "química" com a empresa e entrevistadores passam a ter mais peso do que os aspectos estritamente técnicos.

Se a empresa optar por convidar você para uma viagem à matriz, anime-se: existe no máximo mais um candidato disputando sua vaga – na verdade, talvez você já seja o único. Mas não fique comemorando antes da hora: você vai ser entrevistado por pessoas com quem terá pouquíssimo contato no futuro (caso venha a ser contratado), mas que podem pôr a perder todo o seu esforço até aqui. Afinal, se a empresa concordou em investir nos custos de viagem, é sinal de que esses entrevistadores terão peso na hora da decisão. Trate a todos como se fossem os *Donos da Vaga* – e como sua última chance de conseguir esse emprego. A essa altura, será mesmo *tudo* ou *nada*.

(Em determinado ponto do processo, talvez lhe digam que a próxima entrevista será apenas "protocolar" – e que você já está aprovado. Esta cumprirá apenas uma formalidade. Não acredite: ninguém se dispõe a entrevistar alguém se não puder dizer não. Eu mesmo já fui eliminado de um processo, na linha de chegada, por uma entrevista "protocolar".)

Pratique até ficar perfeito

O caminho para a perfeição passa sempre pela prática. Portanto, pratique a entrevista até ficar perfeito.

Chame um amigo para fazer estas perguntas a você. Tome nota das suas respostas e depois avalie. Faça mais do que isso: hoje é fácil gravar ou filmar. Não tenha medo ou preguiça de gravar – e depois assista ao material, avaliando o conteúdo das respostas e a linguagem corporal. Como você se saiu? O que dá para melhorar? Repita uma, duas, várias vezes: você vai perceber que, com a prática, vai ganhar mais confiança e as "entrevistas" ficarão melhores. Se você achar que as perguntas que já analisamos ao longo do capítulo não são suficientes para este treinamento, use o formato:

"Descreva-me um situação em que você..."

- ... foi criativo resolvendo um problema.
- ... não percebeu uma solução simples para um problema.
- ... não conseguiu terminar um projeto dentro do prazo/orçamento.
- ... fez uma apresentação que recebeu elogios.
- ... precisou tomar uma decisão com poucos dados à mão.
- ... administrou a situação de um cliente descontente.
- ... tomou uma decisão errada.

Capítulo 7

Entrevista (II): (O ponto de vista do candidato)

Durante todo o processo de entrevistas, o objetivo da empresa é conhecer você e obter respostas para aquelas quatro perguntas mencionadas no capítulo anterior. Daí a necessidade de ter uma dinâmica própria e específica. Mas não se esqueça: você também está entrevistando a empresa, a fim de decidir se aquele será, de fato, o emprego que você tanto almeja. E para descobrir isso e tirar as melhores conclusões, você também terá algumas coisas para perguntar.

Perguntas: faça você também

Pesquisar com antecedência vai ajudar você a responder do modo mais adequado – e também a decidir se aquele é o tipo de empresa em que você quer trabalhar. Aqui é preciso levar em conta uma série de variáveis desde o tipo de negócio, a fase que a empresa atravessa em seu ciclo de vida, até o perfil cultural, as pessoas, os processos e sistemas utilizados, até o endereço das instalações, a aparência do escritório – e assim por diante. Mas quem disse que a coleta de informações termina por aí? Afinal, é seu futuro que está em jogo – quer dizer, o *seu* projeto de vida. Por isso, para tomar uma decisão tão importante, você também vai precisar reunir o máximo de informações, em torno destas quatro perguntas:

1. **Será que desejo fazer esse trabalho?**
   (Será mesmo o tipo de atividades que eu gosto de fazer?)
2. **Será que eu vou conseguir trabalhar com essas pessoas?**
   (Será que o ambiente vai permitir que eu realize um bom trabalho? Será que eu vou gostar de vir para cá todas as manhãs?)
3. **Quais são as minhas chances de crescer?**
   (Será que existe espaço para aprender coisas novas? Como é a empresa em termos de treinamento, uso de tecnologia, crescimento? E o meu futuro chefe: há quanto tempo está na mesma posição? Ele será um obstáculo ou suporte ao meu crescimento?)
4. **Será que vão pagar o que eu quero?**

Certamente, nem todas estas perguntas podem ser feitas de maneira direta, ou em voz alta. As questões 1 e 3, por exemplo, baseiam-se em informações concretas. Já para a questão 2, você vai precisar sentir o ambiente, e se autoavaliar com sinceridade. E a quarta pergunta exige algumas técnicas de negociação de salário. (Mas isto já é assunto para um capítulo específico, mais adiante.)

É preciso estar atento também para as situações excepcionais que – de um jeito ou de outro – vão *dizer muito* a respeito da empresa. Aconteceu comigo em certa ocasião, todas as entrevistas foram feitas *fora* da empresa para cuja posição eu concorria. Apenas a última entrevista ocorreu no escritório. E, finalmente, a razão para isso ficou clara: o ambiente na empresa em questão era péssimo (sentia-se), e eles estavam justamente querendo mudar tudo...

Durante toda a entrevista, tenha sempre em mente este duplo objetivo: conseguir ser chamado para a próxima entrevista (demonstrando capacidade, identificação com a cultura e potencial para crescimento) e obter as respostas para essas quatro perguntas íntimas. Portanto, quando for a sua vez de perguntar, capriche – com a ajuda desta lista (na verdade, um desdobramento das quatro perguntas essenciais):

Será que eu quero fazer este trabalho?	• Quais são os projetos que o seu departamento está desenvolvendo no momento? • Quais são os principais desafios do seu departamento? Quais serão minhas responsabilidades? E a equipe? E os recursos disponíveis? • Qual a parte mais difícil do meu trabalho? E qual a do seu? Posso ver a descrição do cargo? • Quem são seus parceiros e concorrentes neste negócio? Vi que a concorrência está agindo desta forma no mercado. Como vocês estão se posicionando?
Será que vou conseguir trabalhar com estas pessoas?	• Por que a vaga está aberta? • Como você mediria o sucesso do meu antecessor? • Quem serão meus pares? • Como os valores corporativos são vividos no dia a dia da empresa? • Quais são as características demonstradas pelos empregados mais bem-sucedidos da empresa? • Por que você trabalha para esta empresa? (Ou do que você mais gosta nela?)
Quais são as minhas chances de crescer?	• A posição é nova ou ficou vaga recentemente? • Quais são as perspectivas de crescimento e desenvolvimento para os funcionários da empresa? • Quais os desafios para os próximos cinco ou dez anos?

(Quanto ao salário, você já sabe, mas não custa repetir: *ainda* não é a hora de questionar isso...)

Como você pode ver, uma boa entrevista é sempre *uma via de mão dupla*: enquanto o representante da empresa entrevista você, você vai entrevistando a empresa – para afinal poder decidir se aquela é, de fato, a vaga que você almeja.

ALGUMAS RECOMENDAÇÕES GERAIS

Antes da entrevista...

- **Estude o setor de atuação da empresa.** Obtenha o máximo de informações em publicações impressas ou eletrônicas (internet); visite o site da empresa, mas também o de suas principais concorrentes; estude o perfil dos consumidores de seus produtos, etc.

- **Estude a empresa.** Peça um relatório anual, catálogo de produtos, visite o site. Ligue para o *call center*. Vá visitar lojas e ver os produtos da empresa no mercado. Converse com consumidores. Analise o posicionamento dos produtos *versus* os da concorrência. Compre, leve para casa e use. Consulte amigos ou conhecidos que trabalhem ou trabalharam na empresa ou nos concorrentes. Converse com eles antes da entrevista – além de aprofundar a pesquisa, você vai estar ampliando sua *network*.Viva a experiência da empresa e compartilhe-a com os entrevistadores.

- **Estude o seu CV.** Lembre-se: eles vão ter estudado – e vão fazer perguntas específicas sobre ele. Assim, vai soar estranho (ridículo e imperdoável) se você disser que não se lembra de algo que está escrito no seu próprio currículo! Isso é mais comum do que se imagina – principalmente se você distribuiu mais de uma versão... Já pensou? Pois é: nem pensar.

- **Neste estudo preliminar, procure antecipar as perguntas e situações de sua carreira que você considera mais relevantes para uma discussão.** Como a sua experiência, suas preferências e seus objetivos estão alinhados com os desafios da empresa? Que perguntas você acha que eles farão? Quais são as suas histórias que farão sentido?.

- **Pratique respostas que durem de dois a três minutos.** Você não precisa de mais do que isso para explicar a maioria.

- **Estar *bem-vestido* é um fator decisivo** para o sucesso da entrevista – como sugere, aliás, a expressão em inglês *dress for success*. Não se trata de luxo, mas de adequação: você vai estar em apuros se descobrir, na hora H, que está usando a roupa "errada". Para isso, não confie apenas no seu próprio "gosto": leia publicações especializadas e as dicas de especialistas no assunto (por exemplo: o *Guia de Estilo VIP* e os livros de Glória Khalil).

- **Antes de sair de casa, verifique** se está levando com você: uma cópia do seu CV; caneta e bloco de anotações (ou agenda); uma lista das perguntas que você vai querer fazer; o telefone e endereço do contato para a entrevista – e o melhor caminho para chegar lá.

... durante...

- Toda conversa tem um objetivo. Portanto, mantenha o foco;

- Ao começar a entrevista, pergunte de quanto tempo o entrevistador dispõe – e fique de olho neste "cronômetro" imaginário (mas *nunca* no relógio!);

- Ao contar suas *histórias* e descrever suas competências, evite fazer conjecturas, simulações ou racionalizações: apresente apenas *dados* e *fatos*;
- Associe suas experiências e competências às necessidades e desafios da empresa;
- Responda apenas ao que for perguntado. Se a pergunta não foi clara, peça esclarecimentos;
- "Venda-se" com firmeza e objetividade: deixe claro o quanto você tem de experiência (passado) e de capacidade de realização (potencial, futuro). Não exagere nem invente – mas também não seja modesto. Nestas horas, a modéstia *não* é uma virtude;
- Não fale demais. Numa entrevista de duração *normal* (cerca de uma hora), procure não falar mais do que um total de 25 a 35 minutos sobre você mesmo. É tempo suficiente para você dar o seu recado.
- Lembre-se: use o restante do tempo para obter as informações que você também deseja. Faça perguntas diretas – que comecem com "como" ou "o que". Assim, você fará o entrevistador falar e lhe dar pistas fundamentais sobre o que é importante para ele;
- *Nunca* fale mal de seus empregadores ou chefes anteriores: isso sempre causa uma péssima impressão;
- Nunca se faça de vítima das circunstâncias. Lembre-se: você é dono da sua carreira;
- *Nunca* fale sobre salário ou benefícios no primeiro encontro;
- Não confie apenas na memória: faça anotações durante a entrevista – assim você também estará demonstrando interesse e seriedade;
- Seja sempre cortês com todos – e não apenas com os entrevistadores. Esteja certo: depois da entrevista, eles costumam perguntar à recepcionista como os candidatos a trataram. (Eu mesmo faço isso, sempre.);
- Agradeça a todos com gentileza e simpatia, mas sem subserviência;

...depois.

- Dê um jeito de ficar na memória do entrevistador.
- Deixe algum *rastro* – e, principalmente, crie alguma oportunidade que permita um novo contato num futuro próximo;

Como saber se a entrevista está indo bem?

Conquistar o emprego que você deseja não depende apenas das competências requeridas para a função – mas, sobretudo, da sua habilidade de se sair bem nas entrevistas. Naturalmente, os bons resultados só vão aparecer depois (com sua contratação ou, no mínimo, com o convite para uma nova entrevista). Mas existem maneiras de você avaliar se está indo bem. Acompanhe o quadro abaixo:

Você está fazendo uma **boa entrevista** se:

- falar (no máximo) 50% do tempo:
- o entrevistador está tendo interesse em fazer perguntas e explorar alguns pontos em mais detalhes;
- o seu interesse genuíno está fazendo com que o entrevistador fale mais sobre a empresa e a vaga;
- o entrevistador chamar alguém que não estava na agenda para conhecer você;
- o entrevistador lhe mostrar a empresa e apresentar algumas pessoas nos corredores;
- se vocês identificaram algo em comum (amigo, escola, cidade, ex-chefe, ex-colega, ex-empresa) no seu passado;
- o entrevistador estiver tomando notas;
- os dois estiverem em sintonia gestual, numa espécie de "dança".

Ao longo da entrevista, você vai perceber que os tempos verbais vão atravessar suavemente o *passado*, o *presente* e o *futuro* – e isso acontecerá de modo mais lento ou mais rápido, conforme o interesse do entrevistador. Mas não se preocupe em medir este ritmo – e faça sua parte: fale de suas experiências (passado); explique o que está buscando (presente); explore o que você pode fazer pela empresa e como você quer crescer profissionalmente (futuro). Com isso, ele irá se convencer a respeito de suas realizações e você vai ter oportunidade de mostrar que o que você deseja se encaixa com aquilo que a companhia está oferecendo (e buscando).

BEM – E DEPOIS DA ENTREVISTA?

Logo após a entrevista, revise as anotações feitas durante a conversa – e acrescente as informações que não conseguiu anotar na hora (dados sobre a empresa, nomes de novos contatos, referências a outras empresas, etc.). Não confie demais na memória.

Avalie também seu desempenho durante a entrevista: o que deu certo, o que deu errado, o que mais despertou a atenção do entrevistador e assim por diante. Releia esse material se você for chamado para novas entrevistas com a mesma empresa.

Não deixe de enviar um e-mail ao entrevistador: agradeça pelo tempo dedicado, mas também aproveite para reafirmar que você possui qualidades e experiências alinhadas com a necessidade da vaga em aberto. Seja breve e direto, como neste modelo:

> Caro ___
> Agradeço a oportunidade da entrevista para a posição_________________.
> Entendi que_____e _____________são características importantes para o próximo ocupante da posição. Estou certo de que minhas experiências e habilidades demonstradas na empresa_____, função _________________e projeto____me qualificam para isso.
> Gostaria de enfatizar a confiança de que sou capaz de executar o que é necessário para ser bem-sucedido na função.
> Fico no aguardo para um próximo contato.

Alternativamente, você pode fazer um acompanhamento telefônico, com teor semelhante ao do e-mail. Mas não deixe recados insista, até conseguir falar com a pessoa. Mas tome cuidado para não parecer ansioso, nem se tornar inconveniente. O objetivo é demonstrar interesse pela vaga. Lembre-se de que a urgência maior é sua – e que, depois da entrevista, as pessoas voltam aos afazeres normais, e isso vai se refletir na velocidade e na sequência do processo seletivo. Seu telefonema deve ajudar a mantê-lo vivo na memória da empresa.

Enquanto aguarda o resultado da entrevista, não perca tempo em especulações, nem confie demais na sua intuição mais otimista: prossiga na sua busca, pesquisando empresas e posições, fazendo *networking* e treinando para novos contatos e entrevistas. Caso não receba nenhum retorno depois de duas semanas, é um provável sinal de que você foi eliminado – sendo que muitas empresas simplesmente nem dão esse feedback. Portanto, não fique especulando: telefone e tire logo a limpo.

Não repita, por exemplo, o erro que eu mesmo cometi: eu tinha tanta certeza de que tinha conseguido uma dada posição que simplesmente parei de procurar. E fiquei aguardando a proposta de trabalho, que não veio, para minha surpresa. Descobri algum tempo depois que a empresa tinha desistido de contratar alguém. Resultado: perdi tempo e dispensei oportunidades, algo extremamente precioso nesses casos.

Na verdade, existem apenas três possibilidades de resultados: ser chamado para uma nova entrevista (sinal de que você continua na disputa), ser aprovado e receber uma proposta de contratação (sinal de que você chegou lá!) ou ser eliminado. No primeiro caso, é só caprichar ainda mais na preparação, ciente de que, a cada nova etapa, os desafios vão ficando maiores. Sobre a proposta de trabalho, há um capítulo mais adiante, especialmente dedicado às negociações salariais. E, se você foi eliminado...

Bem, se você for reprovado em alguma etapa da fase de entrevistas, é melhor estar preparado para administrar a rejeição. Mas trate de tirar proveito mesmo desta situação. Dê a volta por cima – e, sobretudo, trate de deixar uma boa impressão. Ressalte que gostou muito da empresa (do que aprendeu e ouviu) e que gostaria de ser lembrado para futuras posições disponíveis. E, se sentir alguma abertura, pergunte: "Há outras pessoas na empresa com quem eu poderia conversar? Que outras áreas, divisões ou empresas do grupo também estão contratando?" Ou ainda: "Existe alguém que você recomendaria que eu procurasse?"

O mais importante é não valorizar demais as recusas e outros obstáculos. Até porque (é sempre bom repetir) ninguém acerta logo de primeira.

OS ERROS MAIS COMUNS (E COMO EVITÁ-LOS)

- **Responder à pergunta errada.**

  Não interprete perguntas ou afirmações do entrevistador. Se alguma coisa não ficou suficientemente clara, peça explicações. E não fique dando voltas: vá direto ao assunto – e responda apenas ao que foi perguntado.

- **Tentar adivinhar qual será a próxima pergunta**.

  Isso impede que você ouça plenamente o entrevistador. Mantenha a concentração no que ele está dizendo em cada momento.

- **Concentrar o foco da conversa naquilo que a empresa pode fazer por você.**

  Nunca é demais repetir: em qualquer processo de seleção, a empresa está buscando a solução para um problema específico. Portanto, trate de demonstrar o que você pode fazer pela empresa – e não o contrário. Salário, benefícios, cursos, promoções – esses assuntos devem ser bem dosados.

- **Falar mal de empregadores ou chefes anteriores.**

  Isso causará uma péssima impressão e poderá pôr a perder todo o seu esforço. Se você ainda estiver amargando alguma situação difícil em relação a seus últimos empregos, peça ajuda de alguém para uma entrevista simulada, que "exorcize" o problema.

- **Atender a um convite para uma entrevista (ou conversa telefônica) na hora errada.**

  Às vezes, vai acontecer de você ainda não se sentir preparado para um encontro importante (ainda não treinou o bastante, ou não recolheu dados suficientes sobre a empresa ou o setor, etc.). Ou então, uma ligação telefônica o pegou num momento ou local impróprio. Seja como for, não cometa o erro de aceitar a entrevista ou entabular a conversa ali mesmo: peça o número mais adequado para retornar a ligação e se comprometa a entrar em contato o mais breve possível. Pergunte sempre: qual o melhor horário? Faça uma pesquisa rápida, treine o que puder, respire fundo e remarque a conversa ou a entrevista.

Capítulo 8
Agindo conforme a agenda

A esta altura, se você tiver feito o dever de casa sugerido nos capítulos anteriores (fez seu inventário de competências, preparou um bom currículo, treinou para as entrevistas e conseguiu uma lista de empresas e pessoas para concentrar sua busca), já dispõe de um bom material e está pronto para entrar em ação. Quer dizer: *quase* pronto. Porque agora você precisa *construir uma agenda*. Não apenas aquele objeto físico (caderneta ou livro de papel) ou virtual (uma planilha eletrônica): isso também é importante, mas a principal agenda que você deve elaborar é aquela que os dicionários definem como "conjunto dos compromissos a serem cumpridos por alguém" – estejam ou não registrados numa *agenda*.

Muita gente que procura uma nova posição no mercado comete o grave erro de agir às pressas, sem método. Em geral, são pessoas que se limitam a preparar um currículo e a encaminhá-lo para alguns amigos e empresas, à maneira de um *spam*, ou a cadastrá-lo em alguns sites e aguardar. É uma postura um tanto *comodista*, que evita o trabalho duro das pesquisas, telefonemas e conversas, o desconforto dos desencontros e das longas esperas nas antessalas e recepções, o momento difícil de administrar a rejeição – mas dá, em compensação, a falsa sensação de dever cumprido. Não cometa este erro.

> *Procurar trabalho dá muito trabalho:* longe de ser uma frase de efeito, esta é a ideia central que deve nortear seu processo de busca. É fundamental que você se conscientize de uma coisa: até conseguir fechar uma posição, sua ocupação principal tem que ser exatamente esta – procurar emprego. E, se você quiser mesmo conseguir o emprego da sua vida (e não "qualquer um"), vai ter que se dedicar a isso com o mesmo empenho e disciplina que você demonstra ao realizar qualquer trabalho.

O mais importante agora é você montar uma *estratégia de ação*, planejando cada passo – e isso inclui saber administrar seu tempo, os recursos financeiros e até a insegurança e a rejeição. Depois, é sair em campo, em busca de contatos e oportunidades. Porque o mais importante é captar "o espírito da coisa": *agenda* deriva do verbo latino *agere*, que significa justamente "agir, fazer". E é isso que precisa ter em mente: chegou a hora de agir, de fazer as coisas acontecerem – e você já está atrasado, lembra?

Construindo um roteiro e uma rotina de ação

Para conseguir o emprego que tanto deseja, no tipo de empresa que escolheu, você vai ter que dedicar várias horas por dia, vários dias por semana, ao longo de alguns meses – e não estou falando de uma mera "quantidade de tempo", mas de um trabalho contínuo e sistemático. E a primeira providência, nessa fase, é elaborar um *roteiro* e uma *rotina* de trabalho.

Antes de mais nada, não custa lembrar a recomendação que um amigo fazia em forma de piada – mas que é preciso levar muito a sério: "O mais importante, se você estiver desempregado", ele sempre ressaltava, "é não se transformar no famoso Jacques: 'Já que você está sem fazer nada, você pode ir pegar as crianças na escola?'. Ou, 'Já que você está aí à toa, que tal encher o tanque do carro?'". E uma lista dessas realmente não tem fim, mas o que precisa ter fim – antes mesmo de começar – é a ideia de que você está à toa. Definitivamente, não! Pelo contrário, sua ocupação atual é se dedicar, *em tempo integral*, a procurar este novo emprego – que não vai cair do céu.

Basta esperar a crise passar que os empregos vão voltar a aparecer

Talvez seja verdade. Mas você acredita mesmo nisso? Sim, estamos atravessando um momento de redução de atividade econômica em que as empresas estão promovendo ajustes, reduzindo estruturas e mudando estratégias de atuação. O mote do momento é reduzir custos, simplificar organogramas e *portfolio* de produtos. Internamente, as empresas estão consolidando fornecedores, automatizando processos, eliminando ou terceirizando atividades. O ambiente competitivo também muda. Empresas fecham fábricas e escritórios, descontinuam produtos e lançam novos. O que isso tudo significa? Que o mercado de trabalho está em transformação! Ele será outro quando a crise passar. Mas... será que você terá os *skills* necessários para se recolocar neste novo mercado?

Use o seu tempo de forma inteligente para manter a sua empregabilidade. O que você sabia fazer tão bem talvez já não seja tão valorizado.

Quando aconselho profissionais sobre empregabilidade, costumo fazer referência ao *cinto de utilidades* do Batman. Não o atual, de Tim Burton, que lança mão apenas da força bruta para vencer suas batalhas. Estou me referindo ao Batman da série de televisão do final da década de 1960 com Adam West que tinha seus *gadgets* especialmente desenvolvidos por ele mesmo e seus aliados (uma equipe): aquele Batman tinha o cinto de utilidades onde guardava suas invenções, ferramentas a serem utilizadas em momentos específicos para superar obstáculos, cada uma com aplicação própria, no momento adequado.

Além dos *gadgets*, o Homem-Morcego tinha uma equipe em quem podia se apoiar: cada um com suas habilidades próprias, mas que todos fundamentais nas suas aventuras, a ponto de o complementar: Robin, é claro; o mordomo Alfred; o comissário Gordon... Batman sabia aproveitar o que cada um tinha de melhor e recorrer às ferramentas mais apropriadas em cada momento.

E você, como está o seu cinto de utilidades? Quais são as "ferramentas" que você está adicionando ao seu repertório? Como estará a sua empregabilidade e a sua *network* quando o mercado virar a seu favor? O que você fará durante a entressafra, para estar preparado? Como você vai ser manter atual numa realidade em transformação?

O momento exige dedicação dupla: buscar trabalho e atualizar-se. Pense nisso.

Acordar cedo diariamente e se preparar para este trabalho como se fosse para qualquer outro: esta é a primeira dica importante. Tome banho, arrume-se e tome o café da manhã como sempre fez; em seguida, instale-se no seu escritório doméstico ou (na falta de um) em algum recanto da casa especialmente preparado para isso. Ali, devem estar sempre à mão: o telefone, o computador, papel e caneta, agenda de endereços e telefones, seu material de leitura e estudo, como jornais, revistas, relatórios anuais de empresas, livros – além, é claro, de uma boa dose de silêncio e sossego. Estar pronto, como se estivesse prestes a sair, não é bom apenas para a autoestima: é muito importante você estar preparado para comparecer a alguma entrevista ou encontro que consiga agendar ao longo do dia.

Seu roteiro diário deve incluir sempre (e aqui vai apenas um exemplo, baseado nos *meus* roteiros):

Na parte da manhã

- uma lista das pessoas para quem você precisa telefonar, ou mandar e-mails;
- uma lista de sites de empresas-alvo para explorar de forma sistemática;
- uma quantidade determinada de páginas de livros, revistas e jornais para ler, durante o "expediente".

Na parte da tarde

- uma sequência de encontros com amigos e conhecidos (atenção: não se trata de bate-papo ou relaxamento, mas de reuniões para estabelecer novos contatos e obter informações específicas e relevantes ao seu objetivo);
- entrevistas com consultores e *headhunters*;
- visitas agendadas às empresas-alvo;

Uma última dica: *evite as segundas e sextas-feiras* ao tentar estabelecer os contatos mais importantes. Além de perder tempo, você se arrisca a "queimar fichas valiosas". Não é nenhum mistério, nem superstição: nas grandes empresas, as segundas-feiras costumam ser dedicadas às reuniões semanais de planejamento; e as sextas não dispõem de um dia posterior de trabalho para um eventual contato, pois no fim de semana a memória sepulta muitos pedidos de contato ou ajuda...

Perdendo o medo de falar

Se você é daqueles que hesitam ou ficam nervosos na hora de pegar o telefone e ligar para alguém que não conhece, trate de se preparar, antes de arriscar o contato. Como diz o ditado "o seguro morreu de velho": é melhor investir algum tempo ensaiando do que perder uma boa oportunidade.

Eis algumas dicas que certamente vão ajudar:

- Prepare com antecedência um roteiro para a conversa;
- Instale-se confortavelmente diante do telefone *alguns minutos antes* da ligação. Isso ajuda a relaxar;
- Reveja o roteiro, tendo sempre claro o objetivo da ligação. Pense positivamente. Então, fique de pé e ligue;

- Gesticule e sorria como se você estivesse diante da pessoa com quem está falando;
- Mantenha a concentração: evite se distrair ou perder o fio da conversa. Ouça com atenção e tome notas;
- Além de caneta e papel, tenha sempre à mão o roteiro da conversa, o CV e a agenda-planilha;
- Não fale muito rápido. Mas não tenha medo de fazer perguntas – e, caso não tenha entendido alguma coisa, peça tranquilamente para a pessoa repetir;
- Nunca estenda a conversa: seja mais breve do que seria pessoalmente;
- E pratique, pratique, pratique, antes de ligar.

Certamente, você pode praticar as *suas* falas, mas é impossível controlar as reações de seu contato, do outro lado da linha. Por isso, não custa nada se preparar um pouco.

Por exemplo:

Se a primeira reação do outro lado da linha for: "Não tenho tempo agora!", não se apavore. Assuma que você ligou num momento inadequado e pergunte em que novo horário ou dia seria melhor para você retornar a ligação. Se o outro lhe disser, logo no início da conversa: "Apenas me mande o seu CV", traduza como: "Eu quero desligar". Encerre a conversa pedindo o endereço (físico ou eletrônico) para o envio e, se tiver oportunidade, pergunte: "Para eu encaminhar a informação adequada, qual é o tipo de habilidades que você está procurando para essa posição?" Se você sentir alguma abertura, aproveite para salientar suas experiências que demonstrem as habilidades desejadas. Se der, faça uma última pergunta: "E a que dia e hora posso voltar a ligar para falarmos sobre o currículo?"

Outro exemplo:

Caso você ouça um rápido e objetivo "Fale com o RH", tente obter um nome específico para contato com o departamento. Depois, use o nome da pessoa com quem você falou primeiro, para abrir a conversa. E se você ouvir: "Não preciso de alguém com o seu perfil agora", pergunte com que outras pessoas na empresa você poderia conversar, para uma oportunidade futura (Recursos Humanos, um outro gerente, etc.). E também: "Há alguma outra empresa que você poderia recomendar? Ou uma pessoa que você me recomende entrar em contato?" Nunca deixe de perguntar se pode falar em nome dele.

Como você pode ver, vale a pena dedicar alguns momentos preparando-se para essas conversas telefônicas mais complexas. Sozinho, ou com a ajuda de alguém, procure testar seus argumentos e histórias, mas também, o tom de voz, o ritmo da respiração, a sua segurança emocional e a linguagem corporal. Aprenda a desenvolver um sorriso que possa ser "visto" do outro lado da linha. É importante saber pontuar a conversa com pausas espontâneas, mas bem calculadas. Assim, você recupera o fôlego e não cansa o interlocutor.

Outra forma bastante proveitosa de treinamento é iniciar sua agenda de encontros e entrevistas pelos desafios mais simples, que envolvam pessoas conhecidas ou de sua confiança: certamente, você vai se sair bem nesses compromissos, tornando-se confiante para os mais difíceis – e, mesmo se cometer aqui alguma "gafe", as consequências não serão tão graves, não é mesmo?

De conversa em conversa, você conseguirá abrir espaço e construir trilhas no segmento de mercado que deseja conhecer – é ali, afinal, que está o emprego que procura. Amigos levam a conhecidos, que levam a desconhecidos, e assim você vai construindo uma rede de relacionamentos, ampla e proveitosa.

Um último ponto neste item. Durante as tentativas de contato com algumas pessoas, talvez você precise superar uma barreira importante: a secretária. Certamente, sua intuição vai aconselhá-lo a fazer dela uma aliada – mas isso nem sempre é muito fácil. Afinal, a lealdade de toda boa secretária é, em primeiro lugar, com seu chefe: é ela quem organiza a agenda (e, às vezes, a vida pessoal) dele, e essa tarefa inclui barrar o acesso de pessoas imprevistas ou "inconvenientes".

Por isso, se você quiser ter sucesso em seu contato, a tática mais eficaz é evitar a secretária a qualquer custo. Impossível? Nem tanto. Em geral, chefes costumam trabalhar por mais horas do que suas secretárias – chegando antes, não saindo para almoçar e frequentemente prolongando o expediente noite a dentro. Procure, então, ligar nesses horários "especiais". Se ele estiver de bom humor (e disponível), atenderá direto. Caso isso não funcione, o jeito será mesmo fazer com que a secretária vista a camisa do seu time. Mas trate de "jogar limpo": limite-se a ser educado e agradável, sem bajulações.

MONTANDO UM GERENCIADOR DE CONTATOS

As dicas sobre sua agenda de trabalho não estariam completas sem a elaboração de uma agenda-planilha onde você possa anotar tudo aquilo que for conseguindo, passo a passo, graças a sua rotina e a seu roteiro de trabalho.

Durante essa busca sistemática de uma nova posição, sua rotina diária de trabalho (de manhã, telefonemas, e-mails e leituras; à tarde, sair em campo para encontros e entrevistas) pode – na verdade, *deve* – ser complementada por uma *agenda virtual*: uma planilha eletrônica onde você vai registrar os detalhes de cada compromisso cumprido, num acompanhamento permanentemente atualizado.

A partir de um modelo de planilha como o Excel (disponível em qualquer computador e de uso bastante simples), você pode montar este *Gerenciador de Contatos*, com uma série de campos/colunas que vão facilitar o acompanhamento (e o desdobramento) de seus progressos diários:

- o NOME de cada contato;
- a EMPRESA em que ele trabalha;
- a especialidade da EMPRESA (se é empresa-alvo ou *headhunter*/consultoria);
- o(s) TELEFONE(s) de contato;
- o NOME da secretária (pode ser muito importante);
- o endereço de E-MAIL;
- as POSSIBILIDADES INICIAIS (o que você tem a fazer, de saída);
- a DATA (DIA e HORA) de cada primeira ação desencadeada (telefonema, e-mail, encontro);
- a DATA de envio do CV;
- os próximos passos a serem dados, caso a caso;
- as eventuais PENDÊNCIAS (o que ficou faltando ou em aberto).

Nome	Empresa	Telefone	E-mail	Nome da Secretária	Especialidade da empresa	Possibilidades iniciais	Data	Data de envio do CV	Próximos passos a serem dados	Pendências
Mauro	Acme Produções Artísticas	9998888	mauro@acme.com	Helena	Entretenimento	Diretor financeiro deixou a empresa há um mês.	10/10/2016	10/10/2016	Solicitou CV. Pediu que o procure daqui a duas semanas.	Pesquisar a empresa: site e amigos que trabalham lá.

Acompanhe e atualize esta planilha *diariamente*: ela é a maior garantia de que você não vai se perder, repetindo algum telefonema ou enviando duas vezes o mesmo e-mail ou currículo. Assegure-se de que deu seguimento a tudo o que estava pendente – ou seja, de que você está conseguindo aproveitar bem o tempo. No fim do "expediente" diário, procure avaliar também como foram as atividades daquele dia: o que deu certo, o que não deu e por quê. E assim, a partir dessa avaliação, você vai poder decidir o que precisa aprimorar para se sair ainda melhor no dia seguinte.

Administrando seu dinheiro (e seu tempo)

Dentre os conselhos que os mais velhos nos transmitem, às vezes os mais simples e mais óbvios são os mais valiosos. Por exemplo: "Um homem prevenido vale por dois." Sábias palavras. Afinal, ninguém pode ter certeza sobre o dia de amanhã – daí a importância de ser precavido e planejar os meses seguintes. Sobretudo para quem pretende ser, de fato, dono de seu destino.

Em vez de ser apanhado de surpresa por uma demissão, procure fazer a sua parte: faça sempre um bom trabalho – mas não se esqueça de fazer, também, uma reserva financeira. Assim, você terá o suficiente para atravessar os meses de "deserto", enquanto o novo emprego não vem. Mas, caso você não tenha essa reserva, faça cortes imediatos no orçamento doméstico e vá buscar o FGTS e o seguro-desemprego. Esse dinheiro é seu: você contribuiu para isso durante sua carreira e o governo é o fiel depositário.

Caso você tenha sido demitido, tome algumas precauções em relação às suas finanças pessoais de imediato:

Faça um inventário das despesas pessoais e familiares – prestando atenção até mesmo às menores. Determine quais despesas podem ser cortadas de imediato. Preserve apenas os gastos com moradia, saúde, alimentação, educação e transporte. Mesmo nos gastos fixos (como água, luz, gás e telefone), há oportunidades de reduzir o consumo. No supermercado, opte pelas marcas mais baratas.

Encontre o valor de suas despesas mensais essenciais e garanta que você tenha pelo menos seis meses cobertos. Reveja o seu padrão de vida, se for necessário, e não contrate empréstimos para preservá-lo. Repense viagens e gastos com supérfluos. É importante manter uma reserva financeira confortável.

O momento é bom. Caso você tenha dívidas, tente renegociá-las trocando por empréstimos mais baratos ou estendendo o prazo de pagamento (cuidado, pois nesse caso o valor total final será maior). O objetivo é reduzir o valor das parcelas mensais. A parcela mensal não deve apenas pagar os juros, mas também abater um pouco do principal.

Fique longe de armadilhas como cheque especial, cartão de crédito, crédito consignado, empréstimos, adiantamentos e antecipação do IR.

Nunca empreste o seu nome para ninguém. Não empreste o cartão de crédito, nem tome consignado para outra pessoa ou coloque seu nome em empresa alheia. Emprestar o nome é uma das principais causas de endividamento no Brasil.

Preserve seu poder de compra: seus recursos financeiros devem render juros. Fuja da poupança: há aplicações financeiras muito mais rentáveis. Mas é fundamental que a aplicação tenha liquidez (ou resgate imediato). Diminua os riscos diversificando suas aplicações. Você deve ser capaz de acessar esse dinheiro sem perder muito da rentabilidade. Não coloque todo o seu dinheiro em um único banco, investimento ou ouvindo apenas seu gerente.

A contratação de um seguro também pode ser uma boa ideia, desde que não onere o orçamento familiar. Há modalidades que garantem, em caso de desemprego, as despesas seguradas por um determinado período – alguns meses. No caso de uma demissão, há seguros que arcam com mensalidades escolares, aluguel, condomínio e IPTU.

Em resumo, gaste tempo para economizar dinheiro.

Mas tempo – também dizem os mais velhos – é dinheiro, e deve ser administrado com a mesma prudência e sabedoria. Se o emprego que você procura está demorando, não descarte a hipótese de aceitar um trabalho temporário. Muitas empresas oferecem trabalhos por prazo determinado – em geral, para projetos específicos, ou para cobrir férias ou licenças de integrantes de seu quadro fixo.

Certamente, isto está longe de ser uma situação ideal, mas tem no mínimo três boas vantagens: vai mantê-lo ocupado; vai evitar que você se descapitalize; e vai permitir que você mantenha "visibilidade" no mercado, fator imprescindível ao seu *networking*. Durante este período, você terá oportunidade de conhecer pessoas novas – e também novos métodos de trabalho.

Enquanto o novo emprego não vem, você também pode assumir uma série de atividades que, além de não o afastarem dessa procura, ainda podem valorizá-lo em termos de recolocação no mercado: dar cursos, escrever artigos para revistas especializadas da sua área de atuação, dar palestras e participar regularmente de feiras e congressos. São coisas que, mesmo não gerando receita, vão ajudar – e muito! – em termos de *networking*.

Outra dica importante é se dedicar a algum trabalho voluntário em instituições de caridade, sociedades filantrópicas ou organizações não governamentais. A maioria delas tem poucos recursos financeiros – mas pode estar ligada diretamente a alguma grande empresa. Isso pode abrir muitas portas para você. Pense nisso.

Investindo num período sabático

O termo "sabático" vem do hebraico *shabbath*, que significa repouso, parada, descanso. No Antigo Testamento, dava-se o nome de *período sabático* ao intervalo em que (a cada sete anos) a terra deveria ficar temporariamente sem cultivo, para depois iniciar um novo ciclo de fertilidade.

É de *shabbath* que deriva a palavra sábado – justamente o dia de recolhimento semanal dos judeus, equivalente à sexta-feira para os muçulmanos e o domingo para os cristãos. Por conta disso, dá-se atualmente o nome de período sabático ao afastamento temporário das atividades profissionais, a partir de alguma motivação íntima.

É cada vez maior o número de profissionais que, em determinado momento da vida, planejam um período sabático longo e voluntário, destinado à reciclagem e a uma reavaliação da carreira. A principal finalidade de um período sabático é a reavaliação da vida pessoal ou profissional. Não importa a duração – um ano, seis meses, dois meses ou mesmo 30 dias. O importante é que a pessoa tenha em vista um objetivo maior, diretamente ligado à qualidade de vida. Pode ser uma viagem turística, um curso no exterior, um trabalho voluntário ou então um retiro num mosteiro ou na montanha: o que caracteriza o período sabático é o afastamento da rotina, para rever rumos da vida pessoal, familiar, religiosa ou profissional.

Mas você também pode transformar uma demissão numa oportunidade parecida e "simular" um sabático fazendo cursos, frequentando palestras e seminários. Essa segunda opção também serve para se preparar para as entrevistas e conversas, manter-se ativo – e, claro, para fazer *networking*.

Em geral, os resultados de um período sabático costumam ser muito positivos, em termos de qualidade de vida, melhoria das relações interpessoais e, consequentemente, um aumento na produtividade profissional. Mas muita gente (provavelmente você também) costuma se perguntar: como o mercado vai encarar esse eventual "buraco" na cronologia de seu currículo?

Fique tranquilo. A maioria das empresas já encara esta experiência de uma forma bastante positiva: é sinal de que você sabe investir em você mesmo, com vistas a uma melhor qualidade de vida e a um futuro mais planejado – e tudo isso é muito valorizado hoje em dia. E o que é melhor: seu futuro empregador vai concluir que você está revigorado e não vai reivindicar um novo período sabático tão cedo.

O 'LADO B': PROCURANDO EMPREGO EMPREGADO

Se você está empregado, mas alguma coisa o incomoda no ambiente da empresa, não espere a situação chegar ao limite do insustentável para que a empresa o demita: vá à luta e comece a prospectar novas oportunidades. Comece, desde já, a procurar uma nova posição no mercado.

Mas cuidado: procure separar muito bem as coisas. Lembre-se: enquanto o novo emprego não vem, você tem a obrigação de continuar a corresponder às expectativas de quem está pagando seu salário. Mantenha a pontualidade habitual, a responsabilidade e, sobretudo, a produtividade de sempre. Além dos aspectos éticos da questão, você só tem a ganhar com este comportamento: afinal, é com base neste emprego atual (e nas referências relacionadas a ele) que você será avaliado para as próximas posições.

Não é correto, por exemplo, usar os recursos da empresa em benefício próprio – e não apenas telefone, impressora ou o correio eletrônico, e-mail, mas o seu próprio tempo. Trocando em miúdos: não é correto imprimir currículos, postá-los com recursos da empresa ou mesmo fazer contato com *headhunters* durante o expediente. Já pensou no vexame de ser flagrado num desses delitos – por um chefe, pelos colegas, ou até por alguém da sua equipe?

Nesse momento delicado, o melhor que você pode fazer é separar – com a mais absoluta clareza – a esfera *pessoal* da esfera *corporativa*. Ou seja, comporte-se como alguém que cumpre "dupla jornada": o emprego (que paga suas contas) e a busca de uma posição melhor. E uma forma de não "misturar os canais" e seguir todas as recomendações sugeridas neste capítulo: monte em casa um escritório particular – exatamente como você faria se estivesse desempregado. É neste quartel-general secreto que você (fora do horário de trabalho) vai escrever e atualizar seu CV, marcar entrevistas por telefone e enviar e-mails, a partir de seu endereço eletrônico pessoal.

No capítulo sobre *networking*, recomendei que você entrasse em contato com clientes, distribuidores, fornecedores, pessoas da sua lida profissional. Mas, se você estiver empregado, *não* faça isso de maneira alguma – por mais que você considere essas pessoas de inteira confiança. Elas podem deixar vazar a informação mesmo de forma não intencional.

Em suma: tome muito cuidado para que seu chefe atual não saiba que você está procurando emprego. Isto é sempre muito mal visto dentro da empresa – e não é para menos: *todos* se sentem incomodados, como se você estivesse traindo a confiança depositada. (E, cá entre nós, de alguma forma está mesmo, não é?)

E o que fazer para participar das entrevistas sem ser pego em flagrante? O risco é grande de você ser visto no escritório do *headhunter* ou da empresa durante as entrevistas.

A primeira recomendação é evitar a (aparentemente) ótima ideia de querer otimizar o tempo de todos e encontrar o *headhunter* ou o dono da vaga para um café ou almoço em algum lugar público. A lei de Murphy é implacável: você certamente encontrará um conhecido nesse momento. E além disso, como já comentei no capítulo de *networking*, uma refeição não é uma situação ideal pra uma entrevista.

Os escritórios dos *headhunters* são planejados para essas situações. Eles possuem várias salas de espera e reunião e o pessoal administrativo é treinado para garantir que os diversos candidatos que visitam suas instalações diariamente jamais se vejam. Por isso, tente marcar suas entrevistas no escritório deles. Não se importe em marcar as reuniões em horários "alternativos": de manhã cedo ou no final do dia. Todos entendem que você está trabalhando e o horário comercial não é conveniente. O verdadeiro desafio acontecerá quando você tiver que conhecer a empresa contratante. Sugira que as entrevistas continuem acontecendo no escritório do *headhunter* (o que é normal). Mas caso você tenha que ir ao encontro do entrevistador na empresa, tome os cuidados necessários. Lembre-se: eles não são tão preparados para essas situações quanto os *headhunters*. Evite os horários de pico, porque você pode se surpreender e encontrar pessoas na recepção (um fornecedor comum, por exemplo).

Embora seja uma boa oportunidade para você "sentir" o ambiente e a atmosfera de trabalho, lembre-se de que você não quer – nem deve – ser visto.

Não fique rodando desnecessariamente pela empresa.

Permaneça na sala de reunião à espera do entrevistador, não circule, minimize o seu contato com empregados da empresa e outras pessoas que possam reconhecer você.

Apesar de todas as suas precauções, imprevistos podem acontecer. Caso você seja "descoberto", tenha uma história pronta para justificar os contatos com o *headhunter* ou a empresa contratante.

Certamente, você sempre será *dono do seu destino* – e tem o direito de querer mudar de vida e de emprego. Mas entenda que isso deve ser muito bem administrado, para não criar problemas desnecessários, nem magoar as pessoas. Inclusive porque a vida dá muitas voltas – e você pode até desistir e resolver permanecer onde está.

(Mas atenção: se você resolveu sair, o melhor a fazer é levar esta decisão até o fim. Não use a hipótese da demissão como uma cartada para pleitear aumento ou promoção. Exceto nas mesas de pôquer, o blefe nunca é bem visto.)

Certamente, estar ainda empregado tem algumas vantagens financeiras e psicológicas: você não fica ansioso, vendo a conta bancária encolher, nem desesperado para "voltar a se ocupar". Mas não se iluda: afora isso, você não leva nenhuma vantagem sobre outros candidatos que estejam disputando uma nova posição com você. Além do que já mencionamos no Capítulo 1 ("Pequenas Verdades e Grande Mitos"), lembre-se: para o futuro empregador, o importante é encontrar *alguém que vá resolver um problema* – tanto faz que esteja ou não empregado.

Portanto, não se torne arrogante, nem faça demandas ou exigências pouco realistas. O mercado está cheio de profissionais e ninguém gosta de se sentir pressionado ou em desvantagem. Mantenha sempre os pés no chão – que é o melhor lugar onde eles devem estar.

CHEGOU A HORA DE AGIR

Você já deve estar juntando as peças do quebra-cabeça... Os diversos componentes do sistema começam a se encaixar e a fazer sentido? Bom, está na hora de colocar os aprendizados em prática. Mas, antes de ir à luta, confira se o dever de casa está bem feito:

- Você parou de acreditar em certos mitos sobre a busca de emprego, e agora se sente confortável para desmistificá-los e superá-los.
- Você compreendeu plenamente as etapas e os papéis a serem desempenhados pelos principais atores de um processo.
- Já construiu seu inventário de competências pessoais em cima de exemplos concretos de realizações profissionais.
- O discurso de venda está bem ensaiado: você vai relatar suas principais realizações profissionais, exemplificar suas competências essenciais e explicar o que aprendeu com seus erros.
- Você tem clareza quanto ao que deseja como objetivo pessoal e de carreira e é capaz de articular essa mensagem em dois minutos.
- Sua rede de relacionamentos atual está devidamente mapeada.
- As empresas que lhe interessam estão identificadas e priorizadas.
- Você tem uma estratégia para se aproximar das pessoas que poderão ajudá-lo a chegar às empresas-alvo.
- Seu CV está pronto e referendado por um *expert*.
- Você já estabeleceu presença profissional nos meios adequados providos pelo ambiente da internet.
- O modelo STAR de perguntas e respostas não é mais novidade pra você.
- Você tem respostas prontas para as perguntas mais comuns dos entrevistadores.
- Você sabe como tomar o domínio da entrevista e obter as informações que precisa sobre a empresa.
- Sua agenda de ação está pronta (escrita em algum caderno ou planilha eletrônica – não apenas na sua cabeça).
- No caso de estar num momento de transição entre empregos, você sabe que não está de férias e que seu tempo deve ser dedicado prioritariamente à busca de uma nova ocupação.
- Você entende que é o único responsável por fazer tudo isso acontecer – e conquistar o emprego que tanto almeja.

Capítulo 9
Quando uma ajuda extra faz muita diferença

A festa de entrega do Oscar em 2016 dividiu opiniões e não elegeu nenhum grande favorito, acabando por distribuir as principais premiações entre diversos candidatos. Mas a categoria Melhor Ator Coadjuvante mereceu especial destaque pela alta qualidade dos concorrentes – entre eles, veteranos como Christian Bale (*A grande aposta*), Mark Ruffalo (*Spotlight: segredos revelados*) e Sylvester Stallone (*Creed*) que ao longo de suas carreiras já protagonizaram diversos filmes e, mesmo em papéis secundários, continuam atraindo as atenções do público.

Mesmo não sendo peças-chave num processo, grandes coadjuvantes podem fazer a diferença. E não apenas no terreno das artes: na sua busca de uma nova posição no mercado de trabalho, você também pode contar com a ajuda extra de serviços como os de *headhunter* e *outplacement, coaching e mentoring* – que, sem ser indispensáveis, podem se mostrar decisivos para você emplacar o seu Oscar, quer dizer: conquistar o emprego que tanto deseja. Desde, é claro, que você saiba usá-los a seu favor. E aqui vão algumas dicas para isso.

Headhunter: ter ou não ter essa ideia na cabeça?

O *headhunter*, ou "caçador de talentos" (literalmente: "caçador de cabeças") é um profissional contratado pelas grandes empresas para buscar, recrutar e selecionar no mercado de trabalho determinados profissionais.

Trata-se de um serviço bastante específico e de altíssima especialização (pago, sempre, pela empresa "dona da vaga") a que, principalmente as grandes corporações, recorrem por dois motivos principais: para funções muito específicas ou para casos de buscas sigilosas – a substituição de um alto executivo, por exemplo, em circunstâncias que exigem discrição e segredo. Em certo sentido, é como se fosse uma extensão da empresa.

Em geral, costumam ser especializadas em áreas geográficas (São Paulo, Rio de Janeiro, Nordeste), segmentos profissionais (por exemplo: finanças, engenharia, área bancária ou varejo), ou até por níveis hierárquicos. Aliás, estas últimas são as mais comuns no caso do Brasil: algumas "caçam" apenas altos executivos; outras se dedicam ao nível de gerência média, enquanto algumas se limitam apenas a níveis técnicos.

No Brasil, este serviço se expandiu de forma mais expressiva nos últimos anos, por conta do crescimento econômico do país e da maior mobilidade dos profissionais: atualmente, um em cada três brasileiros está mudando de emprego voluntariamente, contra apenas 16% em 2009[1].

Se uma empresa está à procura de um *Controller* (executivo da área financeira), um bom *headhunter* pode se encarregar da pesquisa: consulta sua base de dados e faz um mapeamento do mercado – não só entre os profissionais eventualmente disponíveis, mas sobretudo nas empresas concorrentes daquela que o contratou. Seu trabalho é localizar os melhores em atividade e levantar informações essenciais sobre cada um deles (inclusive as faixas salariais atualizadas e os benefícios recebidos). O passo seguinte é se apresentar a estes profissionais e lhes oferecer a oportunidade de um novo emprego.

Outro exemplo é o de empresas interessadas em fazer – discretamente, ou em absoluto sigilo – uma substituição em seu quadro de executivos. Por exemplo: um profissional produzindo abaixo das expectativas de seu chefe. Trata-se de uma operação que envolve muita confiança entre as partes envolvidas e que, na maioria das vezes, é conduzida sem o conhecimento do próprio funcionário a ser substituído.

Headhunters estão em caça permanente – e mesmo quem está satisfeito em seu emprego pode ser abordado por um deles. Afinal, bons profissionais são a matéria-prima de um *headhunter*. Para um *headhunter*, qualquer candidato é uma oportunidade de fechar um negócio e ser remunerado.

> Mas não aguarde passivamente que um *headhunter* venha atrás de você. Você pode tomar a iniciativa e buscar fazer contato direto com esses profissionais. (Use as técnicas abordadas no capítulo sobre *networking*.) Por estar em contato permanente e sistemático com o mercado, um *headhunter* legítimo e competente vai colocar a seu dispor uma visão ao mesmo tempo ampla e segmentada (isto é, voltada para o setor que lhe interessa) e isso pode fazer toda a diferença para quem passou anos mergulhado na realidade de uma mesma empresa.

---

1 MAIA, Samantha; VILLAVERDE, João. Troca de emprego por mais salário bate recorde. Valor *Econômico*, São Paulo, 02 ago. 2010. Brasil, Capa/A5.

Ter bons *headhunters* na sua *network* é importante e pode, realmente, fazer muita diferença. Afinal, a atividade constante deles é justamente a de apresentar profissionais às empresas. Por isso, mesmo que você não esteja buscando um novo emprego, ou não tenha interesse na vaga que lhe for apresentada, evite dizer "não" todas as vezes que um deles o abordar – você corre o risco de perder boas oportunidades, bons contatos e de nunca mais ser procurado por este *headhunter*. Portanto, mesmo que não tenha interesse, aceite ocasionalmente um convite para uma conversa exploratória. Você estará fazendo *networking*, treinando entrevistas, entendendo como funcionam esses processos, verificando seu posicionamento (salarial) no mercado – enfim, vislumbrando novas oportunidades de carreira. E pode até se surpreender e ser apresentado a alguma oportunidade interessante.

O mais importante em tudo isso é conseguir fazer o *headhunter* "trabalhar a seu favor". Não custa repetir: você vale dinheiro para ele – eles costumam cobrar à empresa um percentual do salário anual da vaga que será preenchida. Converse com ele e extraia o máximo de informação que puder. Entreviste-o, faça-o falar sobre as posições em aberto no mercado, sobre as principais empresas do setor que lhe interessam e a "dança das cadeiras" entre elas – em suma, não se comporte passivamente em seu relacionamento com ele. Em geral, *headhunters* não costumam passar muita informação no início. Cabe a você quebrar este gelo, fazendo com que ele abra a "guarda".

Procure fazer o *headhunter* "trabalhar" a seu favor, mas não perca de vista que ele está em busca dos melhores profissionais, e o papel dele é o de apresentar vários candidatos ao cliente.

Isso quer dizer que ele não pode ter "preferências", até porque não seria ético. Ele deve lealdade à empresa contratante – e não a você. Também não espere que o *headhunter* faça o seu trabalho: afinal, é você quem está querendo o novo emprego. Procure manter com o *headhunter* a mesma seriedade profissional, pois, no fim das contas, é o seu nome e a sua imagem que estão em jogo. Entre em campo sempre jogando para valer. E jogando limpo. Porque, se não estiver maduro e preparado para enfrentar a maratona que se inicia, talvez você deva fazer uso, não de um "caçador de talento", mas de outro tipo de ajuda: a de um serviço de *outplacement* (vamos falar sobre isso logo adiante).

Uma última palavra de cautela: tome muito cuidado com um golpe em potencial. Num processo de recrutamento e seleção conduzido por uma consultoria quem paga os custos é a empresa contratante, a dona da vaga – nunca o profissional que está sendo recrutado. A regra é esta. Não há exceções. Porém, infelizmente há maus representantes em todos os setores. Uma "consultoria" pode entrar em contato com você dizendo que tem uma vaga que pode lhe interessar e, para fazer a apresentação à empresa, exige uma taxa de cadastro para avaliar sua "ficha". É muito fácil contar essa história: é fácil dizer que se trata de um "processo sigiloso". Não entre nessa. Basta eles dizerem, depois da taxa paga, que seu CV não interessou à empresa e outro candidato fechou a vaga, pra você ficar de fora – e sem o dinheiro. Simples assim. E você pagou e nem sequer chegou a ver a cara da empresa (que provavelmente nem existia).

Outplacement: parar, pensar e seguir em frente

Como já comentei mais de uma vez neste livro, a decisão de mudar de emprego é sempre difícil. Antes de mais nada, você precisa ter muita clareza sobre o que realmente pretende. Mais difícil ainda é quando esta situação não depende de você, como nos casos de uma demissão. Este momento indesejável costuma desestruturar o profissional, inviabilizando ou dificultando a continuidade de sua carreira, atingindo elementos fundamentais como autoestima e autoconfiança. É aí que pode entrar em cena o segundo grande coadjuvante: o serviço de *outplacement*.

A perda do emprego já foi classificada como um dos três maiores traumas que um ser humano pode sofrer – juntamente com o fim do casamento e a perda de um ente querido muito próximo. Em outros tempos, marcados por estabilidade e lealdade mútua, as pessoas trabalhavam numa mesma empresa durante longos anos, chegando, muitas vezes, por toda a vida. Por uma série de razões isso já não ocorre com tanta frequência: a demissão já não é tão rara, como no passado. Empresas são compradas, sofrem fusões, vendem marcas e negócios, fecham unidades e plantas em uma localidade para reabrir em outra. Sem falar que a automação elimina diversos postos de trabalhos, ao mesmo tempo em que cria outros mais especializados.

O mundo do trabalho é muito mais dinâmico – e, assim como não há nada de errado em trabalhar a vida inteira na mesma empresa, não é nenhum desastre ou vergonha ser demitido ou estar desempregado. Se você ainda não foi, provavelmente será um dia (fique atento: pode ser em breve!).

Justamente por conta deste novo cenário é que as empresas recorrem aos serviços de *outplacement*. Certamente, a empresa não está focada apenas em você, quando oferece esse serviço: está pensando também nos funcionários que vão ficar. Para que eles continuem produzindo bem, é importante que saibam que a empresa também cuidará deles, caso enfrentem a mesma situação. Empregados que assistem a demissões feitas sem qualquer consideração tendem a procurar um novo emprego e, naturalmente, não é isso o que uma empresa quer.

Traduzido livremente como "recolocação", e também chamado eufemisticamente de "transição de carreira", o *outplacement* é sem dúvida a oportunidade de reverter em aprendizado o desconforto da demissão – e transformar em desafios as dificuldades da nova busca. Mas é preciso ter em mente (e jamais confundir) que a principal finalidade deste serviço não é conseguir um novo emprego, mas acolher o profissional a partir do momento da demissão e orientá-lo sobre a melhor maneira de recomeçar, fazendo com que avalie sua carreira e estabeleça objetivos claros para essa nova busca.

Foram os movimentos de reengenharia da década de 1980 que suscitaram o surgimento de empresas especializadas em *outplacement*. Em meados da década de 1990 começaram a chegar ao Brasil as primeiras empresas multinacionais do ramo, aumentando a visibilidade deste serviço. Hoje, ele já conta com diversas empresas, nacionais e multinacionais, além de profissionais e consultores autônomos. Entre as empresas mais estruturadas, existem duas modalidades: as que trabalham apenas com pessoas jurídicas e aquelas que atendem também pessoas físicas.

Quando é a empresa que oferece, ela paga (no processo de desligamento do empregado). E não há dúvida de que se trata de um ótimo benefício. Algumas pessoas, por ignorância (no sentido estrito da palavra), ou por algum tipo de vaidade ou orgulho, tendem a recusar essa ajuda, alegando que conhecem muita gente, sabem o que fazer para procurar um emprego novo ou se sentem feridos pela empresa e não querem aceitar uma ajuda que lhe é oferecida pela mesma mão. Quer saber? Isso é uma grande bobagem. O que você precisa fazer é avaliar a situação da maneira mais fria possível. Assim, terá a oportunidade de constatar: a ajuda de uma consultoria de *outplacement* pode ser inestimável.

Uma boa consultoria oferece um acompanhamento completo, com apoio e suporte operacional, mercadológico e psicológico – além de um consultor sênior destacado para acompanhar o profissional. O executivo passa a contar com uma equipe multidisciplinar de profissionais experientes e especializados em negócios, marketing, psicologia, treinamento e desenvolvimento, tecnologia da informação e serviços, que serão acionados para se envolverem de forma integrada em seu projeto.

Como tirar o melhor proveito de uma experiência de *outplacement*? Antes de mais nada: você precisa saber – com o máximo de clareza e hones- tidade possível – o que está procurando. Do contrário, poderá estar desper- diçando essa oportunidade única de fazer uma avaliação global de uma vida e de sua carreira – em busca de projetos e realizações mais abrangentes. Sabendo aproveitar, você pode conquistar mais do que um novo emprego, e descobrir possibilidades que até então não havia vislumbrado. Por exemplo: além de conseguir uma recolocação no mercado, você pode:

- Tornar-se um consultor, numa atividade ligada à sua profissão e sua carreira;
- Abrir seu próprio negócio, pondo assim em prática seu lado empreendedor;
- Dedicar-se à atividade acadêmica, tanto como aluno quanto como professor;
- Combinar várias dessas atividades.

Uma das maiores contribuições que a experiência de um processo de *outplacement* pode trazer é ajudar você a encarar sua carreira profissional – e sua busca por uma nova posição – com um olhar muito mais positivo. Em geral, quando estão desempregadas, as pessoas se sentem "um problema", alguém condenado a conjugar verbos como pedir, procurar, precisar... Mas isso é puro condicionamento cultural: um bom programa de *outplacement* vai ajudar a encarar a situação de um ângulo muito mais rico: você vai passar a se ver como um provedor de soluções, ou seja, um fornecedor – e a próxima empresa que o contratar será, de certa forma, seu cliente.

Se você procurar o serviço de *outplacement* por conta própria, é bom tomar alguns cuidados – principalmente evitando certas empresas que acenam com ofertas e promessas que nunca serão cumpridas. Perca algum tempinho informando-se a respeito da idoneidade dos profissionais envolvidos. No mais, lembre-se de que nada funciona muito bem na vida sem a presença dessa "palavrinha mágica": empatia. Porque, no fim das contas, trata-se de uma experiência bastante pessoal.

Em linhas gerais, um bom serviço de *outplacement* deve informar com absoluta clareza tudo o que poderá e o que não poderá fazer, sem falsear ou exagerar as expectativas. E o que este serviço pode efetivamente fazer?

Em linhas gerais, um bom serviço de *outplacement* deve informa com absoluta clareza tudo o que poderá e o que *não* poderá fazer, sem falsear ou exagerar as expectativas. E o que este serviço pode efetivamente fazer?

- Fornecer uma série de ferramentas para uma reavaliação de carreira;
- Ajudar na preparação do currículo;
- Ajudar a ativar e/ou ampliar sua rede e aprimorá-la;
- Fornecer bancos de dados sobre o mercado de trabalho: cadastros de empresas, de profissionais, de *headhunters*, de vagas em aberto;
- Ajudar a treinar para entrevistas;
- Fornecer um espaço físico de trabalho;
- Ajudar nos momentos de tomada de decisão: na negociação de uma oferta de trabalho, por exemplo.

Repare que usei o verbo "ajudar" na descrição dos serviços que podem ser prestados pela empresa de *outplacement*. Porque nada irá substituir a sua própria ação – quer dizer, a sua própria iniciativa. Você é o protagonista do seu futuro.

O espaço de trabalho é um interessante diferencial das empresas de *outplacement*: elas recriam (e permitem que você utilize) um ambiente idêntico ao da maioria das empresas – com telefone, mesa, secretária, recepcionista, computador, impressora, copiadora, acesso à internet, jornais, revistas, e até cafezinho. Você pode inclusive usar salas de reunião para receber alguém. E, com a presença de vários outros profissionais que estão na mesma situação, o espaço acaba reproduzindo, fielmente, um ambiente de escritório.

Se você não conseguir criar isso em casa, toda essa infraestrutura será bem-vinda, não é mesmo? Além disso, você vai manter a rotina de se deslocar todos os dias para um local de trabalho – e isso, psicologicamente, pode ser muito valioso. E vai ajudar você a não perder de vista que procurar emprego dá – literalmente – muito trabalho.

Há também uma série de outros benefícios no *outplacement*. Por exemplo: você vai encontrar muitas pessoas em busca de uma nova posição, constatando que isso não aconteceu só com você, que a demissão não é tão rara e que pode atingir profissionais competentes e plenamente capazes. Saiba tirar o máximo de proveito dessa verdadeira rede de suporte e informação: se você se dispuser a conversar com essas pessoas, seu aprendizado (sobre *como fazer* a busca) será mais rápido e também elas serão fonte de informação, sobre contatos possíveis e sobre o que está acontecendo nas empresas que elas conhecem (quer dizer: *onde* há vagas).

Tenha sempre em mente: nenhuma empresa ou consultor de *outplacement* pode prometer que vai lhe conseguir um novo emprego. Isso vai depender das condições do mercado de trabalho e se você está bem preparado para administrar sua busca.

Não importa se seu "pacote de outplacement" foi oferecido pela empresa ou contratado por iniciativa própria: procure sempre tirar o melhor proveito dele.

Coaching e mentoring: em busca do crescimento contínuo

Superar limitações e desenvolver o melhor de seu potencial profissional, administrar a autoestima e a rejeição enquanto o próximo emprego não vem, enfrentar os desafios de adaptação à cultura de uma nova empresa – para aquele que investe com seriedade na carreira, eis aí alguns "velhos conhecidos" de percurso. A "novidade" é que, de algum tempo para cá, é possível contar com mais dois coadjuvantes de peso: os serviços de *coaching* e *mentoring*.

Provavelmente você já deve ter ouvido falar sobre eles, mas não custa nada fazer uma breve apresentação de cada um. Em termos gerais, *coaching* e *mentoring* são duas formas de promover o desenvolvimento contínuo, seja no campo pessoal ou profissional, mediante o apoio de gente especialmente preparada para isso. Sua importância cada vez maior se justifica, na medida em que cursos de especialização, eminentemente técnicos, não se mostram suficientes para suprir as necessidades de formação de profissionais para níveis gerenciais.

Mas antes é preciso fazer algumas observações.

Como ressaltei no capítulo anterior, o período entre um emprego e outro pode – e deve – ser aproveitado para o desenvolvimento pessoal. Um *coach* e/ou um mentor podem ajudá-lo. Mas eu disse “e/ou”? Exatamente: porque são profissionais com habilidades e propostas de trabalho diferentes a quem podemos recorrer de acordo com nossos objetivos pessoais ou profissionais. A recente popularização desses profissionais vem causando muita confusão – e, por que não dizer, uma verdadeira banalização.

Em primeiro lugar, costuma-se usar a própria nomenclatura de uma forma intercambiável, causando ainda mais confusão. Sem falar na verdadeira proliferação de cursos de curta duração que prometem transformar qualquer pessoa num *coach*... em apenas dois dias! Mas também existem aqueles que se sentem gabaritados a se chamar de *coach* pelo simples fato de terem cabelos brancos e longas carreiras. Sem dúvida isso é positivo – mas não suficiente. Tanto para ser um *coach* quanto um mentor, é necessário treinamento. Treinamento sério, submetido a uma série de certificações. É um trabalho que requer a sua técnica própria e não deve ser banalizado. Pesquise com clientes passados antes de contratar qualquer um. Vamos ver como cada um pode lhe ajudar.

A ideia de *coaching* (do inglês *coach*: “técnico, treinador”) surgiu nas universidades norte-americanas, para definir uma espécie de *tutor particular*, dedicado especificamente a preparar os alunos para os exames numa determinada disciplina. Aos poucos, o conceito foi se ampliando e passou a definir também o instrutor ou treinador de cantores, atores e atletas – e foi no campo esportivo que a ideia se consagrou definitivamente. Mas em todas as áreas os objetivos deste profissional permaneceram os mesmos: encorajar e motivar o cliente a alcançar uma meta, estimulando emoções positivas e principalmente ensinando novas técnicas que facilitem o aprendizado.

No Brasil, o *coaching* vem ganhando cada vez mais espaço na área corporativa, ajudando as empresas e seus profissionais a enfrentarem momentos de transição e de incerteza (uma promoção, por exemplo). Por ser um processo bastante flexível, pode ser aplicado a profissionais das mais diferentes áreas, em empresas de diferentes portes e segmentos.

Em linhas gerais, obedece-se ao seguinte procedimento: estabelecem-se a meta inicial desejada pelo cliente e um prazo para que ela seja atingida (em geral, de três a seis meses); elaboram-se alguns "alvos mensuráveis"; e, a partir daí, aplica-se um mix de conhecimentos, técnicas e ferramentas de diversas áreas: administração, psicologia, gestão de pessoas, neurociência e planejamento estratégico, entre outras. Tudo isso sem perder de vista o conceito central do *coaching*: ajudar a pessoa a melhorar naquilo que ela quer ou necessita, auxiliando-a a caminhar na direção que ela deseja por conta própria.

Conduzido de forma confidencial, o processo de *coaching* é realizado através de uma série de sessões, onde o *coach* (cada vez mais, um especialista dedicado exclusivamente a isso) cumpre a missão de estimular, apoiar e despertar no cliente, em geral chamado de *coachee*, a capacidade de responder "sozinho" as perguntas e dúvidas e superar "por si só" as dificuldades mais urgentes.

Existem dois tipos principais de *coaching*: o *life coaching*, direcionado para necessidades individuais; e o *business coaching*, dedicado a necessidades corporativas e empresariais. Dentro de cada um destes nichos, pode-se encontrar uma série de ramificações. Mas todas se identificam por respeitarem a mesma dinâmica: um *coach* nunca diz ao *coachee* (ou *coachee*s) o que fazer, pois seu papel é justamente o de capacitar o cliente a obter as respostas. Fique atento: se ele agir diferente, não é um bom *coach*.

Alguns podem achar este recurso "muito simples", outros acharão "vago demais". Mas a verdade é que, nas mãos de um bom profissional da área, o *coaching* pode ser uma excelente oportunidade para você visualizar com clareza seus pontos fortes e fracos e descobrir de um modo objetivo e assertivo, e num *prazo determinado*, o melhor caminho para atingir todo o seu potencial na carreira – e, às vezes, até mesmo na vida pessoal.

Já o termo inglês *mentoring* (que se pode traduzir como "mentoreamento", "tutoria" ou às vezes "apadrinhamento") designa uma atividade orientadora semelhante, mas de caráter mais especificamente profissional. Um mentor, também chamado de "mestre" ou "conselheiro", se incumbe de transmitir conhecimentos de determinada área a um profissional iniciante ou, no mínimo, menos experiente – o que, em geral, costuma ser decisivo na carreira do profissional mais jovem.

No mundo corporativo, o *mentoring* vem ganhando popularidade nesses últimos anos, por ter se revelado mais eficaz do que outros tipos de treinamento profissional. Seu foco é mais específico e seu escopo mais limitado do que o do *coaching*: trata-se, no fim das contas, de preparar um profissional para melhorar seu desempenho em sua atual função ou prepará-lo para uma promoção ou processo sucessório, cada vez mais comum nas empresas.

O *mentoring* sempre é conduzido por pessoas-chave dentro de uma organização ou por algum profissional externo que seja uma referência em sua área de atuação. No caso, o que se prioriza é o conhecimento e a experiência que não podem ser adquiridos apenas por meio dos livros. Tal como no *coaching*, aqui também os bons frutos dependem da disposição do "tutorado" ou "mentorado" (em inglês, *mentee*) para mudar e se tornar um profissional melhor. Mas, diferentemente daquele, o *mentoring* não costuma ter um prazo determinado para acabar e pode prosseguir até que o cliente se sinta preparado para ir adiante sozinho.

Existem algumas diferenças entre os serviços de *coaching* e *mentoring*. Uma das mais importantes é que o mentor transmite conhecimentos técnicos e experiências acumuladas na vida profissional, enquanto o *coach* ajuda o *coachee* a encontrar as próprias respostas para os problemas. O mentor age como um conselheiro profissional, sendo necessariamente alguém da mesma área de atuação de seu cliente, ao passo que o *coach* não precisa ter qualquer experiência na área. Mas as duas atividades se diferenciam de um processo terapêutico. É muito importante não confundir as coisas.

Dependendo das necessidades e circunstâncias, tanto o *coaching* quanto o *mentoring* pode ser realizado em grupo ou de forma individual, podendo ser contratado e pago pelo profissional ou pela empresa em que ele trabalhe. Mas, nos dois casos, é preciso tomar alguns cuidados para não cair nas armadilhas deste mercado feito de bons e maus fornecedores. Em linhas gerais, trate de evitar:

- empresas que não sejam reconhecidas por algum órgão internacional renomado;
- empresas que vulgarizem e banalizem os processos de *coaching* e *monitoring*, batizando com estes nomes quaisquer ferramentas e

técnicas simplesmente tomadas de empréstimo a áreas que não lhes dizem respeito;

- profissionais sem experiência prática ou treinamento específico na área, e que se apresentem como "estudiosos" do assunto (essa troca interpessoal não se aprende nos livros).

O caminho mais seguro para você não perder tempo, oportunidades ou até dinheiro é, como sempre, buscar uma indicação com alguém que já tenha recorrido a estes serviços. Lembre-se: o joio e o trigo se parecem. Por isso é preciso tomar cuidado na hora de semear e colher num campo tão importante: sua carreira.

Dando mais ênfase ao papel dos atores coadjuvantes

- *Headhunters*

  Uma rápida pesquisa na internet lhe ajudará a encontrar algumas empresas de *headhunters* que atuam na sua cidade. Utilize o espaço a seguir para tomar nota dos nomes das principais. Não deixe de fazer uma pesquisa cuidadosa sobre cada um deles e planejar sua estratégia de abordagem.

- Consultores de *Outplacement*

  Você foi demitido e recebeu como parte do pacote de desligamento o apoio de uma consultoria de *outplacement*. Excelente! Mas, como tirar melhor proveito desse benefício? Sugiro que reflita sobre as etapas que deverá vencer até a conquista de um novo emprego e identifique aquelas onde um profissional habilitado seria uma ajuda relevante.

- Reavaliar rumo e opções de carreira;
- Preparar o currículo;
- Ativar e/ou ampliar sua rede de relacionamentos;
- Obter informações sobre o mercado de trabalho: empresas, associações profissionais, contato de *headhunters*, vagas em aberto;
- Praticar para entrevistas;
- Fornecer um espaço físico de trabalho;
- Contar com um interlocutor nos momentos de decisão: na negociação de uma oferta, por exemplo.

Capítulo 10

Admirável mundo digital

No começo da década de 1960, quando o projeto de uma rede mundial de computadores ainda engatinhava nos gabinetes do Departamento de Defesa dos Estados Unidos, o canadense Marshall McLuhan (1911-1980) já estudava os impactos das novas tecnologias sobre o "ambiente humano" e vislumbrava o advento de uma época de intensificação tecnológica que iria encurtar distâncias e aproximar as pessoas.

Anos antes do aparecimento da Arpanet – a rede de computadores criada em 1969 a pedido do Pentágono, para interligar as bases militares e os departamentos de pesquisa do governo americano e que se tornou a "ancestral" da internet – McLuhan publicou *A galáxia de Gutenberg* (1962) e *Os meios de comunicação como extensões do homem* (1964), apresentando o conceito até hoje atualíssimo de *aldeia global*. Segundo ele, as novas tecnologias eletrônicas acabariam por transformar o mundo num "pequeno grande povoado", onde todos estariam conectados. Olhe em volta: não é o que está acontecendo agora?

Foi McLuhan também quem cunhou o termo "surfar" para representar a busca rápida e desestruturada por informação em conjuntos heterogêneos e vastos de documentos e conhecimento. E é exatamente o que você deve fazer, em sua busca de uma nova posição no mercado: *surfar* na internet. A esta altura, ninguém questiona que a grande rede já se tornou uma auxiliar imprescindível ao encurtar as distâncias e aproximar as pessoas. E também permite agilizar pesquisas e consultas sobre oportunidades de trabalho (e sobre as empresas que as oferecem), realizando em poucos minutos aquilo que, de outra forma, você iria demorar meses ou semanas para conseguir.

Mas é preciso saber usar. Como você vai surfar essa nova onda?

Quantidade x qualidade: de novo, o joio e o trigo

Em termos quantitativos, não resta dúvida: as cifras da internet no Brasil impressionam. Segundo dados da agência de *marketing* social We Are Social, em 2015 já tínhamos cerca de 110 milhões de internautas brasileiros. Só no Facebook, temos 89 milhões de usuários cadastrados em todo o Brasil. Continuamos sendo o segundo país com o maior número de usuários cadastrados no Twitter (41 milhões), atrás apenas dos Estados Unidos, imbatíveis com seus cerca de 142 milhões de usuários. Sem falar no Instagram, o caçula entre as redes sociais (foi lançado em outubro de 2010), que em novembro de 2015 superou a marca de 29 milhões de usuários por mês no Brasil.

Todos estes dados podem dar a impressão de que a internet se tornou o ambiente mais propício para contatos e construção de relacionamentos. Afinal, as pessoas estão a apenas um *click* de distância, e isso pode ser valioso na hora de procurar uma recolocação ou fazer contato com novas pessoas e expandir sua *network*. Mas será que a internet vai diminuir de fato os seis graus de separação? Será que todos nós estamos de fato mais próximos? Na verdade, toda esta *quantidade* de grupos e de usuários tem pouco a ver com a *qualidade* dos contatos e pesquisas que você vai precisar fazer. Agora, mais do que nunca, é preciso saber separar o joio do trigo.

Na sua busca de uma nova posição, a internet pode ser muito útil em quatro pontos específicos:

- Buscar informações, principalmente referentes a empresas e profissionais, e a faixas salariais ligados à sua área de atuação;
- Fazer *networking*: você pode dar um alcance muito maior à sua busca de contatos novos;
- Tornar-se visível no mercado, através de redes sociais como o LinkedIn e o Facebook;
- Fazer pesquisas em sites de emprego – e eles são muitos: Catho, InfoJobs, Vagas.com – e se cadastrar nos bancos de dados de CVs de empresas (Adecco, Randstad, Manpower, entre outras).

Em outras palavras, a internet permite obter informações que podem ser decisivas na sua busca. Com a ajuda da grande rede, e mesmo sem sair de casa, você vai pesquisar empresas-alvo e pessoas-alvo – e assim vai poder se preparar melhor para as entrevistas, munido de informações sobre as empresas e as pessoas com quem você vai falar (já vimos isso no capítulo sobre entrevistas). E pode ainda se informar sobre eventos de *networking*, cursos e palestras, além de selecionar ONGs para fazer algum tipo de trabalho voluntário.

Agora é só começar a surfar. E os dois passos preliminares aconselháveis são: a busca de informações sobre as empresas-alvo; e uma pesquisa de salários.

OBTENDO INFORMAÇÕES SOBRE EMPRESAS:

O primeiro caminho para obter estas informações é, naturalmente, acessar os sites das próprias empresas. Mas uma opção igualmente (ou mais) rica é consultar os sites onde empregados avaliam seus empregadores. Por exemplo:

- **LoveMondays.**

Criada em 2013, esta plataforma *on-line* disponibiliza inteiramente de graça informações sobre vagas e faixas salariais em mais de 60 mil empresas, divididas por setores de atuação – com destaque para um *ranking* com as 50 melhores empresas, que são "radiografadas" em aspectos imprescindíveis como: as oportunidades de carreira; a remuneração e os benefícios praticados; e a cultura (ambiente, qualidade de vida) de cada uma delas.

O aspecto mais interessante do LoveMondays é que esse *ranking* é construído a partir das avaliações de funcionários (e ex-funcionários) sobre seus empregadores. Ainda é uma amostragem pequena, em relação às dimensões do mercado: são cerca de 1.500 testemunhos, resguardados pelo anonimato, apresentando os prós e contras de cada corporação. Outro ponto alto do site é permitir a seus usuários saber os salários pagos aos profissionais em cada empresa. Aqui também, a comparação de faixas salariais pode ser um fator a mais na hora de decidir entre mais de uma empresa-alvo.

Para acessar o site (e garantir a seriedade do projeto), o usuário precisa fazer um cadastro, informando a empresa em que trabalha, seu salário e pacote de benefícios – que serão incorporados anonimamente ao banco de dados, e assim ajudar a outros usuários. O LoveMondays existe também em formato aplicativo para *smartphones*.

Pesquisando salários:

Não basta você ter uma decisão formada sobre *quanto* deseja ganhar. É importante estar sintonizado com a realidade do mercado e se posicionar em relação às faixas salariais disponíveis. Nesse ponto, a internet ajuda muito, permitindo o acesso a uma série de sites que disponibilizam essa informação. Para você não perder tempo, eis aqui uma seleção de alguns dos mais relevantes:

- Pioneiro na área, **Catho.com.br** é um dos mais conhecidos e procurados sites brasileiros de classificados de empregos. Essa versão *on-line* anuncia e divulga currículos de profissionais e vagas em empresas, ajudando a aproximar os dois lados do processo. Conta com um cadastro de dados atualmente estimado em 200 mil empresas e 480 mil profissionais. Você pode inscrever seu currículo gratuitamente por sete dias e depois se tornar assinante (se parecer que vale a pena).
  Para acessar: www.catho.com.br.

- O site **Vagas.com** (lançado em 1999) se dedica ao *e-recruitment*, ou seja: "encontrar e selecionar os melhores talentos para as empresas" – de forma exclusivamente eletrônica. O cadastro do Vagas.com abrange mais de 3 mil empresas, 71 das quais se incluem entre as 100 maiores do país, segundo o *ranking* da revista *Exame*. Inteiramente gratuito, nele você pode pesquisar posições em aberto na sua área de atuação e também oportunidades em outras áreas. Além da busca segmentada por empresa, cargo e região geográfica, tem um campo específico com informações sobre cargos e salários.
  Para acessar: www.vagas.com.br.

- **SalárioBr** integra o Banco Nacional de Empregos – BNE, site que há mais de 20 anos se dedica a recrutamento *on-line* (são mais de 6 milhões de currículos cadastrados e mais de 95 mil empresas participantes). Além de cadastrar seu CV, aqui você tem acesso a um *Relatório salarial de mercado*, que através de alguns "filtros" (sexo, idade, posição pretendida, experiência, etc.) informa as possibilidades de remuneração em pequenas, médias e grandes empresas.
  Para acessar: www.salariobr.com.

- No site **Salários.org.br**, da Fundação Instituto de Pesquisas Econômicas – FIPE, você encontra informações sobre o mercado brasileiro de trabalho, com foco principalmente em três aspectos: o salário médio inicial em cada ocupação (o chamado "Salariômetro", que pode ser acessado através do código CBO[1] correspondente); dados sobre os reajustes médios ou escalonados resultantes de negociações coletivas (que se dá através dos sindicatos); uma "Folha de salários do Brasil", com informações sobre arrecadação de impostos, recolhimento de FGTS, etc., que pode dar as dimensões salariais da área em que você atua ou pretende atuar.
  Para acessar: www.salarios.org.br

- Como você talvez já saiba, a Robert Half é uma das maiores empresas mundiais de recrutamento especializado, presente em mais de 20 países, que há anos publica o **Guia salarial da Robert Half**, ajudando empregadores e gestores a definir níveis salariais. A versão 2016 (com *download* gratuito disponível no site) traz uma radiografia de oito áreas importantes: Engenharia, Finanças e Contabilidade, Jurídica, Seguros, Mercado Financeiro, Recursos Humanos, Tecnologia e Vendas e Marketing. No site você também pode dispor (mediante assinatura) de uma "Calculadora salarial", interessante ferramenta com informações para profissionais em diferentes momentos da carreira.
  Para acessar (e baixar o Guia): www.roberthalf.com.br.

- Lançado em 2008, o site **Glassdoor** traz informações variadas e confiáveis sobre os salários reais dos mais diferentes postos de trabalho, baseadas em depoimentos de empregados das empresas em que atuam. Sobre o Brasil, o Glassdoor traz informações de quase 2 mil empresas (dados de final de maio de 2016).
  Para acessar: www.glassdoor.com.

[1] CBO: Classificação Brasileira de Ocupações, instituída em 9 de outubro de 2002, para identificar as ocupações no mercado de trabalho.

Certamente, as informações obtidas em todos estes sites serão genéricas – principalmente porque as empresas costumam trabalhar com consultorias especializadas e metodologias específicas para determinar as faixas salariais praticadas em seus quadros. Mas elas já vão dar a você uma boa base de comparação.

Viu só quanta coisa você pode fazer a favor de seu futuro emprego, com a ajuda da internet, em vez de simplesmente lançar seu CV na rede e esperar como um pescador inexperiente? O segredo está em saber usar a rede da forma mais adequada.

Seu CV na internet

A rigor – pelo menos por enquanto –, não há como aferir o sucesso dos sites de empregos: é praticamente impossível avaliar a quantidade de pessoas que enviam seus CVs, a quantidade de empresas que consultam estes sites ou até mesmo o número de candidatos que conseguem ser contratados através deles. Mas o mais importante é que nenhum desses dados (mesmo aferidos com alguma precisão) conseguiria medir a *qualidade*, que é o seu objetivo principal, nessa busca planejada. Em outras palavras: colocar seu currículo num desses sites e ficar aguardando algum resultado não é a melhor maneira de utilizar a internet a seu favor.

O "insucesso" da internet nesse campo não é exclusividade do Brasil. Mesmo nos Estados Unidos – com seus mais de 157 milhões de internautas, liderança absoluta e isolada no mundo virtual –, as estatísticas podem ser mais precisas, mas os resultados não são mais animadores. Pesquisas mostram que também por lá, apenas entre 2% a 5% de CVs colocados em sites de empregos na internet recebem alguma resposta. E mais até: de 40% a 50% de CVs enviados espontaneamente por e-mail (quer dizer: sem terem sido solicitados pelo destinatário) são automaticamente colocados em *folders* de *spam*[2]. Isso quer dizer que o destinatário nem chega a tomar conhecimento deles! E eu imagino que pelo menos metade dos que "sobrevivem" seja

[2] BESHARA, Tony. *The Job Search Solution*. New York: Amacom, 2006.

deletada imediatamente pelos receptores. Então, com sorte, talvez uns 25% dos CVs enviados como anexos em mensagens de e-mail ultrapassem essas barreiras iniciais. Mas quantos desses são realmente lidos ou simplesmente permanecem ignorados nas caixas de entrada?

Isso significa, então, que a internet não terá um papel na busca de seu próximo emprego? Nada disso. Você pode usar a *web* para muitas coisas imprescindíveis à sua missão: pesquisar sites de empresas, fazer contatos virtuais (*networking*) e até realizar alguns testes *on-line* que vão ajudá-lo a definir melhor suas competências – como o MBTI, mencionado no começo do livro. E pode também tirar proveito do Facebook, LinkedIn e o Youtube, desde que tenha método e objetivos bem específicos: prospectar informações sobre empresas e profissionais de sua área de atuação.

Uma pesquisa rápida na internet vai mostrar uma longa relação de sites de empregos, onde muitas empresas costumam divulgar suas vagas. Na maioria deles, você pode publicar seu CV – embora (não custa repetir) – com resultados ainda imponderáveis e imprevisíveis.

Um dos mais famosos mundialmente é o Monster.com, mantido pela empresa norte-americana Monster Worldwide e que figura entre as 50 páginas mais visitadas da internet e chega a receber, em alguns países, cerca de 40 mil CVs por dia. Infelizmente, a página em português foi desativada no fim de 2012[3].

No Brasil, existem centenas deles, alguns oferecendo às empresas 650 mil CVs e aos candidatos cerca de 100 mil vagas. Além dos já mencionados acima, como Catho e Vagas.com, merecem destaque o Curriculum.com.br e o Infojobs.

- Criado em 1999 pela empresa Curriculum Tecnologia, o site **Curriculum.com.br** disponibiliza aos cadastrados mais de 50 mil vagas de emprego e, na outra ponta, cerca de oito milhões e meio de profissionais em processo de busca – funcionando assim como uma interface entre candidatos e empregadores. Basta fazer o cadastro e inscrever o currículo. O portal

[3] A empresa deixou de operar no Brasil em 28 de dezembro de 2012, alegando dificuldades com o perfil do negócio de recrutamento e seleção no Brasil, onde é comum os sites cobrarem dos candidatos e não das empresas. No caso do Monster, a cobrança é feita das empresas. (Cf. verbete na Wikipedia)

também mantém um blog com notícias de oportunidades específicas em empresas e muitas dicas úteis sobre recolocação no mercado.
Para acessar: www.curriculum.com.br

- O **InfoJobs** é outro site de empregos que, desde 1998, se propõe a facilitar a aproximação entre empresas e candidatos – que podem cadastrar gratuitamente seus currículos e vagas disponíveis, mantendo-os no ar por tempo indefinido. Assim, empregadores e candidatos a vagas podem realizar suas buscas, por cargo (ou empresa) e por região geográfica (o site cobre todo o Brasil).
Para acessar: www.infojobs.com.br

Outra opção: as grandes e tradicionais consultorias de Recursos Humanos. Elas também podem dar visibilidade ao seu CV, além de oferecer acesso a informações valiosas sobre o mercado de trabalho. Duas boas sugestões:

- A **Adecco** é um grande grupo suíço de gestão de pessoas, incluindo recrutamento e seleção em posições especializadas. Presente no Brasil desde 1989, oferece a opção de cadastrar seu currículo gratuitamente.
Para acessar: www.adecco.com.br

- Empresa holandesa fundada em 1960, que há anos atua também no Brasil (são quase 40 países em todo o mundo), a **Randstad** permite que você cadastre seu CV, que terá maiores chances se você atuar em áreas mais especializadas, como: óleo & gás, tecnologia de informação e aeroespacial & defesa.
Para acessar: www.randstad.com.br

Finalmente: há também, é claro, os bancos de dados nos sites das próprias empresas, onde você pode não só pesquisar a respeito delas, mas informar-se sobre vagas disponíveis – e enviar seu CV.

A esta altura (e apesar de todas as restrições apontadas aqui), você deve estar dizendo: "Bem, não custa nada tentar, não é mesmo?". Mas custa sim: você vai precisar tomar alguns cuidados e precauções, para não acabar descobrindo que desperdiçou tempo e expectativas. E a primeira precaução tem a ver, diretamente, com a forma como seu CV será acolhido nestes sites: é bom você saber que, tanto nos bancos de dados das empresas quanto nos sites de empregos, *o primeiro filtro será sempre eletrônico.* Isto significa que seu CV precisa ser interessante o suficiente para que uma máquina "queira lê-lo" e eventualmente selecioná-lo.

Como conseguir isso? Aqui vão algumas dicas:

- Antes de mais nada, elabore seu CV distribuindo pelo texto as palavras-chave (*keywords*) que descrevem a posição ou a carreira de seu interesse. Você pode consegui-las facilmente acessando a descrição de cargo da posição desejada ou de posições semelhantes que estão publicadas no próprio site.

- Se for um site de empregos, com formulário eletrônico, inclua estas palavras-chave nos campos específicos (cujos nomes costumam estar em inglês): *job title, technical skills, abilities* e *expertise.*

- Uma maneira não convencional de fazer o seu CV ser "eletronicamente selecionado": os recrutadores costumam se interessar por pessoas que trabalham ou já trabalharam em determinadas empresas, que são, reconhecidamente, celeiros de bons talentos. Então, veja se você consegue dar um jeito de incluir seus nomes em seu CV – mesmo que não tenha chegado a trabalhar em nenhuma delas. Por exemplo, elas podem ser clientes ou fornecedoras de seu empregador atual ou de um de seus empregadores anteriores; ou podem estar presentes em algum tipo de realização sua. Este "detalhe" vai ajudar seu CV a aparecer em um número bem maior de buscas.

- Outra dica: tire proveito das técnicas de SEO para fazer com que seu perfil figure no topo dos resultados das pesquisas. A sigla (de *Search Engine Optimization*, que pode ser traduzida como "Otimização para Mecanismos de Busca") refere-se ao conjunto de estratégias usadas pelas empresas para potencializar e melhorar o posicionamento de um site nas páginas de busca. Pesquise essas recomendações na própria rede e utilize-as a seu favor.

- Além de inscrever seu CV no site de empresas de consultoria, você pode incluí-lo diretamente no site das empresas pelas quais você se interessa. Mas não esqueça de que essa ação é sobretudo *passiva*: o CV está cadastrado, mas dependerá de a empresa ter uma vaga disponível e se interessar por você – ou se o seu currículo for selecionado durante uma das buscas eletrônicas periódicas. A boa notícia é que este cadastro é permanente. Uma vez inserido, estará sempre lá, à disposição da empresa e há sempre uma chance de eles o procurarem. Mas atenção: é importante manter o CV atualizado em todos esses bancos de dados.

> Um lembrete importante, antes de disponibilizar seu CV eletronicamente: a postura mais correta e recomendável é não enviar um currículo a alguém sem ser solicitado. Mande-o apenas para pessoas que autorizaram você a fazer isso, e em seguida dê um telefonema para confirmar o recebimento. Isso aumenta as chances de ser lido. Mas, se apesar de tudo, você decidir enviá-lo às cegas por e-mail, tome pelo menos a precaução de jamais colocar a palavra "currículo" (ou mesmo "CV") no título: ele cairá direto na caixa de *spam* do destinatário.

Como você pode ver (e eu não me canso de repetir): se a internet é nova como ferramenta, sua principal função é alavancar o velho e bom *networking* e ampliar seu capital social. Tudo o que foi recomendado no capítulo sobre *networking* também vale aqui – em relação a sites de empregos e redes sociais em geral. Inclusive (ou sobretudo) para a mais, especificamente, profissional de todas: o LinkedIn.

Contatos profissionais imediatos: LinkedIn

É bem possível que você já faça parte do LinkedIn, mas não custa apresentar (ou repassar) algumas informações gerais: fundado em dezembro de 2002 e lançado em março de 2003, o site de relacionamentos LinkedIn pode até parecer mais uma rede social. Mas ele se diferencia – e muito – de outras como o Facebook por ser uma *rede essencialmente voltada para o mundo profissional*. Com rápida expansão pelo mundo, conta com aproximadamente 414 milhões de usuários registrados, em cerca de 200 países[4]. Está disponível em diversos idiomas (inglês, francês, alemão, italiano, russo, espanhol, turco, japonês e português) e sua página no Brasil conta com cerca de 20 milhões de usuários – ficando em terceiro lugar no *ranking* mundial, atrás de Estados Unidos e Índia.

Comparadas às outras redes, podem até parecer cifras inexpressivas, mas aqui se trata justamente de uma questão *qualitativa*: o LinkedIn é um ambiente essencialmente de negócios, onde você pode – ou melhor: *deve* – manter uma postura séria e profissional.

Esta, aliás, é a primeira dica a ser dada: para frequentar o LinkedIn, você deve manter o mesmo comportamento que costuma ter no seu ambiente profissional, em reuniões e encontros de trabalho. Desde o início, capriche nos detalhes: coloque uma foto profissional e utilize uma linguagem séria e bem cuidada. Da mesma forma, mantenha uma postura e um comportamento dentro desses mesmos padrões, tanto na *forma de abordagem* a outros membros da rede, quanto nas discussões públicas.

Afinal, você será observado e avaliado com muito mais rigor do que nas simples redes de relacionamentos sociais.

Quem entra na chuva (diz a sabedoria popular) é para se molhar. Portanto, não faça as coisas pela metade: trate de ser atuante. Ao decidir participar do LinkedIn, preencha todos os campos de informação, mantenha seu *perfil* sempre atualizado e seja proativo ao estabelecer *conexões*, ao solicitar e dar *recomendações*, e participar dos *grupos* e das *discussões*.

Se você ainda não conhece o LinkedIn, vale a pena estar atento a algumas dicas sobre cada um desses itens (e, se já conhece e frequenta, não custa nada ler com atenção também):

O primeiro campo o qual você deve caprichar é o do seu *perfil* – onde os outros irão ler sobre você e, portanto, deve ser completo e estar sempre atualizado. E não se esqueça das palavras-chaves: assim, você vai conseguir fazer com que ele se destaque e apareça sempre entre os primeiros lugares,

---

4 Dados fornecidos pelo próprio site em fevereiro de 2016.

durante as buscas dos outros usuários do LinkedIn. Aliás, não é exagero dizer que criar um perfil no LinkedIn é a melhor maneira de fixar sua identidade profissional *on-line*.

Foto – Inclua uma foto com postura e acabamento profissionais. Se você não puder contratar um fotógrafo profissional, e optar por uma solução caseira (com seu IPhone, por exemplo), tome alguns cuidados para que a foto fique a mais profissional possível: escolha um fundo neutro e de cor uniforme, que realce suas roupas; capriche no foco e na iluminação; vista-se como se estivesse pronto para o trabalho; enquadre apenas a cabeça e os ombros; sorria. Perfis com foto são mais visitados. Por outro lado, um perfil sem foto deixa dúvida quanto à sua legitimidade.

Nome do cargo (ou *job title*) – Use sempre o nome do seu cargo – a menos que ele seja muito diferente daquele usado comumente pelas empresas. Nesse caso, mude para usar o "genérico". Caso você não esteja empregado, utilize o nome do cargo que almeja. E aproveite para incluir também o nome da indústria em que você deseja se empregar.

Empregos – Use as mesmas técnicas descritas no capítulo sobre CV. Esse é o seu CV on-line.

Specialities - Liste nesse campo as palavras-chave (*keywords*) que farão seu currículo ser capturado durante as buscas dos *headhunters*.

Conexões – Este campo se refere às pessoas que participam de sua rede – e que, na verdade, são vínculos muito mais consistentes do que os dos "amigos" do Facebook. Procure estabelecer um bom número de conexões (que, mais do que números, serão vínculos *qualitativos*): reencontre amigos, colegas de trabalho do passado e até pessoas que estudaram com você no colegial ou na universidade. Deixe de lado a timidez. Lembre-se de que todos estão ali pelos mesmos motivos: fazer *networking*.

Aos poucos, para ampliar sua rede, peça para ter acesso às *Second Degree Networks*, os chamados "Contatos de segundo grau" – quer dizer, as conexões que integram as redes de suas conexões. E assim, através dessas novas listas de contatos, você vai chegar cada vez mais perto do seu próximo emprego. Afinal, vale lembrar aqui: existem, no máximo, seis graus de separação entre quaisquer dois indivíduos do planeta – e isto se refere também a você e seu futuro empregador.

Mas atenção: as regras do *networking* real devem ser levadas muito a sério aqui. Então, não peça emprego: solicite e forneça informações, numa troca séria e equilibrada.

Com pessoas que trabalham em RH, você pode ser um pouco mais "agressivo" nas tentativas de contato: muitas delas estão no LinkedIn, justamente, para atuar como recrutadores e costumam gostar de gente com iniciativa. Também estão se comportando na rede com uma postura mais ativa, para buscar candidatos – e, certamente, vão aceitar mais conexões e se mostrar disponíveis para conversas para prospecção de oportunidades profissionais. E estão no LinkedIn pela mais simples das razões: economizar as taxas de consultoria e/ou *headhunters.*

Aliás, *headhunters* também recorrem ao LinkedIn para prospectar potenciais candidatos às vagas que eles estão trabalhando para as empresas que os contratam. Então, não se surpreenda caso venha a ser abordado por algum. E também não se engane: seu perfil será consultado e verificado por *headhunters* e empresas que o estejam entrevistando.

Ao expandir sua rede de conexões e ter acesso ao perfil de terceiros, lembre-se de que eles podem ser, para você, uma excelente fonte de aprendizado e informação: inspire-se nos bons modelos, aprofunde as pesquisas sobre sua área de atuação – aprenda, em suma, com outros integrantes do LinkedIn. Faça *networking* explícito com eles, enviando e-mails com perguntas e dúvidas: que tipo de experiência e formação eles tiveram? Como chegaram até onde estão? – e assim por diante.

Grupos do LinkedIn são os ambientes ideais para você gerenciar sua presença e participação em comunidades profissionais que tenham interesses e objetivos em comum. Não é à toa que as próprias empresas costumam utilizar os grupos para divulgar eventos e discutir alguns temas. Eis alguns tipos de grupos que o LinkedIn oferece:

- Ex-alunos de instituições de ensino;
- Grupos de empresa;
- Organizações comerciais;
- Conferências;

- Grupos setoriais especializados;
- Organizações sem fins lucrativos.

Nesse ambiente profissional, você deve criar uma imagem de especialista sólido. Portanto, limite-se a emitir opiniões sobre aquilo que você conhece, sempre de modo técnico e responsável. Não dê palpites superficiais sobre "qualquer coisa". Ou seja: participe das discussões que fazem sentido para a sua busca – afinal, você quer passar a impressão de uma pessoa que tem *conhecimento* e *foco*. Lembre-se: você quer ser notado por empregadores ou *headhunters* que estão à procura de especialistas.

Em poucas palavras: não perca tempo, nem qualquer oportunidade de se inscrever nos grupos mais atuantes e – principalmente – que tenham a ver com seus interesses.

Você também pode seguir empresas e *Influencers* (formadores de opinião). Assim você "ouvirá" diretamente as empresas falando sobre lançamentos, tendências, melhores práticas e outras iniciativas. Bill Gates e Jack Welch são alguns dos muitos *Influencers* que utilizam o LinkedIn para divulgar suas ideias. Imagine ter acesso direto a eles... Esses canais ajudarão você a se manter informado e atualizado quanto às últimas novidades do mundo corporativo e da sua área e indústria de atuação.

Recomendações – É o nome que se dá aos comentários escritos por usuários do LinkedIn em favor de colegas, parceiros de negócios, prestadores de serviços ou estudantes em fase de formação. É nela que as pessoas interessadas em contratar ou realizar negócios com alguém costumam buscar referências e informações, na hora de tomar decisões. Além de recomendar alguém, você pode solicitar uma recomendação, bem como gerenciar a forma como elas serão apresentadas no seu perfil. Mas a etiqueta da rede – e o bom senso – recomendam: procure sempre se oferecer para escrever sobre os outros, em vez de ficar apenas solicitando recomendações. E, sobretudo, não use este campo para pedir emprego: se você estiver desempregado, trate de deixar isso claro no seu perfil.

Discussões – As discussões costumam tratar de assuntos e interesses profissionais específicos, em geral entre os membros de um grupo já criado.

Mas você pode propor a criação de novos grupos em torno de um tema ainda não debatido – ou cujo debate ainda não tenha chegado até os grupos de que suas conexões participam. O mais importante é procurar manter sempre o clima de seriedade e responsabilidade. Acredite: um simples debate pode permitir (além do aprendizado) contatos interessantes para sua busca.

Posts – Compartilhe o que seja informativo para os demais membros da sua rede: notícias, artigos ou vídeos. Você pode colocar artigos de sua autoria apresentando seu ponto de vista profissional. Isso inclui: textos acadêmicos ou que tenham sido veiculados em revistas comerciais; material que você utiliza em palestras ou cursos; capítulos de livros de sua autoria. Mas também é válido fazer propaganda de eventos, seminários, cursos e premiações. E, ainda, pode utilizar este espaço para mostrar o seu trabalho, publicando descrições e resultados obtidos em projetos profissionais específico – tenha apenas cuidado com temas de confidencialidade da sua empresa.

Like, comment and share – Se você achou uma publicação interessante, provavelmente a sua rede pensará o mesmo. Por isso, *curta, comente e compartilhe*. Seja ativo e mantenha a informação fluindo.

Uma última dica: revise quem está vendo o seu perfil para se assegurar de que você está atraindo as pessoas certas.

Para além do LinkedIn

Você não precisa ficar restrito a portais de relacionamento, como Facebook, LinkedIn e Twitter. Pense, por exemplo, em criar o seu próprio *blog*, com foco na sua área de especialização. Para se ter uma ideia do sucesso desse formato, estima-se que existam mais de 150 milhões de *blogs* na internet. O desafio então é: como dar destaque e relevância ao seu? Consulte o site www.blogger.com para algumas dicas sobre como fazer isso. Antes de mais nada, mantenha o foco: limite-se a *posts* sobre uma área de *expertise*, sem se aventurar a escrever sobre "tudo e qualquer coisa". E vá além da mera opinião, publicando fatos concretos e ações replicáveis. Faça referência a outras fontes valiosas.

Mas atenção:
Nada disso será efetivamente útil se, depois de cumpridas todas estas etapas de maneira sistemática, você não souber dar o passo seguinte: consolidar estes contatos na vida real – ou seja, no mundo das pessoas de carne e osso. Quando sentir que uma conexão importante já está suficientemente madura (em termos de confiança), peça permissão para telefonar, através de uma mensagem escrita, que deixe bastante claro o alcance e as intenções de sua solicitação.

Sobre esta ampliação de contatos, uma última dica:
Eis um bom exemplo de pedido de ampliação, via e-mail:

Prezado Senhor,

Sou profissional sênior da indústria de bens de consumo. Atuei nas áreas de vendas, marketing e trade marketing, tendo acumulado sólidos conhecimentos de mercado de diversas categorias.
Sou um executivo automotivado, que inspira e desenvolve equipes de sucesso. Tenho grande experiência no desenvolvimento e implementação de estratégias de negócios, canais de vendas e distribuição (direto e indireto); entendimento do consumidor e cliente, lançamento de produtos, ativação de marca no ponto de venda, tendo uma grande experiência e resultados significativos em vendas e distribuição.
Atuei em duas multinacionais, (nome da multinacional 1) e (nome da multinacional 2), em cargos de diretoria. Sou graduado em Engenharia Mecânica (E.E. Mauá), possuo especialização em administração e marketing (FGV) e MBA executivo internacional (FIA/FEA-USP) com módulos na Europa e EUA. Tenho inglês fluente.
Estou buscando um novo desafio e ficaria grato pela oportunidade de conversar a respeito de meu momento profissional e de eventuais oportunidades.

Atenciosamente, FULANO DE TAL

E, só para reforçar a ideia, eis um exemplo de *abordagem ruim* – e de oportunidade desperdiçada (baseado em um e-mail, que recebi de um grupo de ex-alunos de segundo grau de um determinado colégio):

Prezados colegas,

Agora que tive meus filhos quero voltar ao mercado de trabalho. Sou formada em administração. Quem souber de algo na área me fale.

Claro que ninguém respondeu a uma solicitação tão vaga, sem foco e alvo, em tom de "pedido de favor" – e que vai contra tudo aquilo que recomendei ao longo de todo este livro. Afinal, nem com muita boa vontade alguém conseguiria adivinhar o que essa mulher deseja. E, mesmo que entendesse, quem se arriscaria a se expor a tal ponto, ajudando alguém capaz de se apresentar com tamanha displicência? Pois é: não há LinkedIn – nem internet – que faça milagres.

CUIDADO: CAIU NA REDE...

"São demais os perigos desta vida", já dizia o poeta Vinicius de Moraes – e a internet não está livre deles. Por isso, é preciso estar sempre atento para não se expor a nenhuma "situação de risco". E o menor destes riscos, acredite, é a enorme quantidade de lixo eletrônico que você pode passar a receber em sua caixa de e-mails.

Lembre-se de que o mundo virtual é feito de primeiras impressões – mas, ao mesmo tempo, tem memória mais longa. O que é publicado e/ou enviado corre o risco de permanecer quase indefinidamente na rede (quer dizer: ao alcance de todos).

Comportamento adequado no Facebook e no YouTube:
Assim como você pesquisa as empresas e pessoas com quem você vai conversar, não tenha dúvida: as empresas também farão uma busca a seu respeito. E se o seu passado em algum momento o condenar?

O melhor é não esperar de braços cruzados: jogue seu próprio nome no Google e veja o que aparece. Qual a imagem que você passa? Se for ruim, trate de remover o post comprometedor... Em geral, os próprios sites orientam sobre como fazer isso. Se não, dê um google na pergunta "como remover um post do [nome do site]".

Outro aspecto de que você não deve *nunca* descuidar: tudo o que "cai na internet" pode adquirir vida própria e ser facilmente repassado para outras pessoas muitas delas sem nenhuma nobre intenção de ajudar você a conseguir o próximo emprego. Não é exagero: imagine se o seu CV "der a volta ao mundo" e acabar caindo na caixa de mensagens do seu chefe? Sem falar no fato de que pode haver ali informações pessoais que você não quer que se tornem de domínio público. Pois é – mas é isso que acontece (ou pode acontecer) com tudo o que cai na rede...

E nada se compara ao risco (verdadeira "história de horror") de que você seja alvo de falsas empresas que oferecem empregos e lhe pedem alguns documentos pessoais (RG, CPF) como referência. Nunca faça isso! Eles podem usar sua identidade para abrir cadastro em uma loja e fazer algumas "comprinhas" por sua conta...

Moral da nossa história: seja sempre atento e criterioso no uso da internet – para que esta excelente ferramenta não se torne uma perigosa faca de múltiplos gumes...

Teste de sobrevivência na internet

Você pode tirar proveito da internet de três maneiras: obtendo informações, fazendo-se mais visível e expandindo a sua *network*. Todas têm o propósito de colocá-lo mais perto do seu objetivo.

Obtendo informações:

- Você usou a internet para fazer o MBTI e o StrengthsFinder e dessa maneira aumentar o seu autoconhecimento?
- Você obtém informações relevantes sobre as empresas-alvo na internet?

Tornando-se visível:

- O CV que você preparou para cadastrar em sites de emprego e das empresas que lhe interessam está recheado com as *keywords* que farão com que ele apareça com mais frequência nas buscas eletrônicas?
- Seu CV está em formato .pdf (e portanto não pode ser modificado por ninguém)?
- Você cadastrou o seu CV nos sites de emprego que são utilizados pelas empresas de seu interesse?
- Você tem um perfil no LinkedIn e o mantém atualizado?

Fazendo *networking*:

- Você não faz spam com seu CV?
- Você utiliza o LinkedIn para conhecer pessoas novas e manter contato com sua rede?
- Você consegue fazer uma boa transição do mundo eletrônico para o mundo real?
- Você se assegura de que não há nada que o desabone publicado no LinkedIn, Facebook, YouTube, Instagram ou outras redes sociais?

ENTREVISTA VIA REDE

Até pouco tempo atrás, era quase uma ofensa sugerir a um profissional de recrutamento e seleção que entrevistasse alguém à distância. Era impensável não fazer as entrevistas cara a cara. Hoje o cenário é outro: são cada vez mais frequentes as entrevistas através de videoconferências. Skype, Facetime, WhatsApp e outras ferramentas da rede estão ajudando a otimizar o tempo de entrevistadores e candidatos – o que é uma ótima notícia, numa época em que a mobilidade nas grandes cidades virou um desafio diário. Sem falar na economia de tempo e com despesas de viagens, num processo que envolva candidatos de outra cidade ou até de outro país. Mesmo que nunca venham a substituir as entrevistas presenciais, a novidade facilita – e muito – a triagem inicial.

Certamente, para os candidatos, as videoconferências ainda são um desafio adicional para os candidatos, mais uma variável a ser administrada, num processo já bastante complexo. Mas trata-se de um caminho sem volta, porque tudo indica que essa novidade veio para ficar. Portanto, trate de dominar a tecnologia, para não ser dominado ou derrotado por ela.

Também existem ferramentas para entrevistas *off-line*. O entrevistador grava um vídeo com perguntas e envia um *link* para o candidato – que, por sua vez, grava as respostas e envia de volta. Se a entrevista remota parecia impessoal, o que você acha agora? Tudo administrado por um *software*, essa modalidade agiliza o processo e traz um ganho de produtividade: o entrevistador ou entrevistadores podem assistir a diversos vídeos e decidir quem continua no processo, sem depender de deslocamentos, atrasos ou remarcações de horários. Mas a frieza e a impessoalidade desse processo fazem com que as empresas, sempre que for possível, ainda prefiram a conversa *on-line*. As novidades não são poucas. Portanto, é melhor estar preparado.

O **passo a passo** a seguir vai fazer a tecnologia trabalhar a seu favor. Mas lembre-se: uma entrevista será sempre uma entrevista, e aqui você vai precisar colocar em prática as mesmas dicas apresentadas nos Capítulos 6 e 7 deste livro, adaptando-as ao ambiente virtual. Acompanhe:

Passo 1: Combinando a entrevista

- Combine a hora da conversa sem deixar nenhuma margem para dúvida. E lembre-se de confirmar na véspera, com uma gentil mensagem de e-mail.
- Pontualidade é tudo. Assim, posicione-se diante do equipamento que vai usar pelo menos cinco minutos antes do combinado. Se for uma videoconferência internacional, verifique corretamente o fuso horário para não se enganar na hora H.
- Informe-se dos IDs (a identificação dos usuários) e esteja seguro de ter a pessoa autorizada no *software* que será utilizado.
- Providencie que o seu ID e sua foto (se houver) sejam profissionais. Nada de foto com a família, de animais de estimação ou apelidos como gatinhadapraia ou albertãodobairro.
- Combine também quem se encarregará de iniciar a chamada, para não haver nenhum mal-entendido.

Passo 2: Dominando a tecnologia

- Você vai precisar ser fluente na tecnologia que estiver usando.
- Prefira um computador a um smartphone ou *tablet*, pois esses equipamentos ainda não têm a mesma capacidade de banda (velocidade de transmissão) e podem falhar durante a transmissão de imagem e som simultâneos.
- Seu computador deve ter uma boa câmera. Avalie se você deve ter um *headset* ou se o microfone e alto-falante do micro têm qualidade suficiente.

- Se optar por comprar um *headset*, prefira os simples *earphones*, pois o *headset* pode fazer você ficar engraçado durante a entrevista – além de causar um eventual um desconforto em volta da sua cabeça.
- Teste antes com um amigo a performance do equipamento e da sua conexão. Se for Skype, você pode fazer o Free Skype Test Call – você ouvirá o seu próprio som.
- Testar antes é importante, porque pode haver versões novas do *software* ou necessidade de instalar algum *update* ou incompatibilidade entre versões, entre *software* e *hardware* ou qualquer outro problema que inviabilize a conexão. Pode ser também que o site exija um cadastro prévio ou *download* de um aplicativo ou atualização de nova versão. Não seja pego de surpresa em cima da hora.
- Durante a entrevista, para garantir melhor qualidade, feche as janelas de chat. Desconecte-se de qualquer outra coisa. Feche o *software* de e-mail e qualquer outro que tenha alertas visuais ou sonoros. Se você estiver em casa, peça para ninguém utilizar o *wi-fi* para coisas pesadas (jogos, *streaming* de vídeos ou música e outros *downloads*) no horário da sua entrevista.
- Outro ponto importante: aprenda a colocar o microfone do seu micro no *mute*, se houver necessidade.

Passo 3: O "estúdio de gravação"

- O **ambiente** é outro "detalhe" importante, pois ele dará mais qualidade às imagens transmitidas. Lembre-se de que as academias de cinema costumam dar prêmios a uma boa fotografia. Prefira então um *background* que não seja visualmente poluído – e que ao mesmo tempo represente quem você é.
- (Por exemplo: um ambiente organizado de trabalho, com livros, computador e quadros neutros. Com pouca coisa que tire a atenção do ator principal, que é você.)

- Provavelmente você estará usando uma câmera de computador. Então é bom lembrar de ajustar o enquadramento. Não mire a câmera para o teto. Se ela estiver baixa, coloque o computador sobre alguma base, para que fique na altura dos seus olhos – pois é como conversamos com outras pessoas.
- A sua distância até o computador deve ser, mais ou menos, equivalente ao comprimento do seu braço. Cabeça, ombros e metade do peito devem ocupar a tela. E mantenha os olhos a dois terços da altura.
- A **qualidade do som** é fundamental durante a entrevista. Nunca faça a chamada de um local público – um Starbucks, por exemplo. Mesmo dentro de casa, tome cuidado com ruídos de fundo (pessoas conversando, ar condicionado, vizinhos, etc.), ecos ou microfonia provocados causados por interferência de outros aparelhos. E não se esqueça de regular o volume.
- Cuidado com o **microfone**: se estiver muito próximo, ele pode reproduzir sons indesejados, como respiração ou movimentos da sua boca – além de eventualmente capturar e reproduzir o som de quem está do outro lado.
- Em suma: se for possível, deixe o microfone em *mute* enquanto o entrevistador estiver falando.
- A **iluminação** também é muito importante. Durante o dia, prefira a luz natural – e, se estiver muito claro, feche as persianas.
- A fonte de luz deve estar à sua frente, e não atrás ou do lado – o efeito criará uma sombra atrás de você e brilho no seu rosto.
- Se for noite, saiba que luz embaixo, em cima ou na lateral vão criar sombras. A fonte de luz deve estar à frente e na altura dos seus olhos. De preferência, use uma fonte de luz móvel: se estiver muito brilhante, mova para trás; se fraca, mova para frente.

Passo 4: O ator principal: você

- Mas tudo isso só vai funcionar se o **ator principal – você** – também estiver bem na fita. E o primeiro ponto é evitar roupas ou maquiagem que poluam visualmente e distraiam a atenção do entrevistador. Use cores sólidas, evitando sempre o exagero: se estiver em casa por exemplo, não vá colocar um terno.
- A câmera deve estar na altura dos seus olhos, para evitar que você fique olhando para baixo ou para cima. Não olhe para a imagem do entrevistador, e sim para a câmera – porque só assim você vai estar olhando nos olhos do entrevistador.
- Se você precisar ter à mão algumas anotações, prenda-as com Post-it no computador ou use um *flip chart* na parede imediatamente atrás, de modo que você possa consultar sem tirar os olhos da câmera, quer dizer, dos olhos do seu entrevistador. Mas, se precisar olhar para o lado ou consultar alguma coisa, peça licença para desviar o olhar – e sem nunca sair do campo visual do entrevistador.
- Sente-se de uma forma confortável, mas sem exagerar na informalidade. Mantenha uma postura ereta, prestando atenção na linguagem corporal. Não se mexa muito, pois isso dificulta a transmissão e distrai quem está assistindo.
- Mostre respeito: concentre-se na conversa, dando total atenção ao entrevistador. Não fale com outras pessoas através de WhatsApp, Facebook, nem responda a mensagens de e-mail.
- Tenha o CV sempre à mão. Estude o *job description*. O resto é como se você estivesse numa entrevista presencial: pense e reflita antes de responder. Se você realmente estiver nervoso, faça algo que ajude a relaxar antes da entrevista.

Passo 5: Encerrando a entrevista

- Nunca olhe para o relógio, nem demonstre qualquer tipo de pressa. Deixe ao entrevistador a iniciativa de **encerrar** a entrevista.
- De preferência, deixe que ele desligue primeiro.
- Depois, certifique-se de que está mesmo *off line*, antes de fazer qualquer outra coisa – como trocar de roupa ou fazer algum comentário. Postura é tudo.

A prática leva à perfeição. Portanto, nunca improvise. Se não estiver se sentindo seguro, treine antes com algum amigo. Grave e assista a uma entrevista sua e pratique, pratique, pratique... Lembre-se: qualquer erro, por mais simples, vai passar a impressão de que *você não sabe o que está fazendo.*

RECAPITULANDO:

Confira os detalhes logísticos
Esteja confortável com a tecnologia
Escolha um local apropriado e sem distrações
Assegure-se de que a qualidade da sua imagem e do som é boa

Capítulo 11

O rito de passagem (você já está "quase" lá...)

Nas ciências sociais, *ritos de passagem* são aqueles momentos de transição que marcam viradas importantes na vida de uma pessoa. Os mais comuns (e mais citados) são o nascimento, o batismo, a entrada na puberdade, a formatura, o casamento e a morte. Mas, numa visão mais flexível da ideia, podemos muito bem estender a definição a outras situações igualmente marcantes, como o ingresso num clube ou grupo específico e – no nosso caso – a conquista de um bom emprego (mais ainda: *aquele* emprego que você tanto almeja).

Não é nenhum exagero, e se você chegou até aqui sabe muito bem disso. E, mesmo tendo feito o dever de casa direitinho (ou justamente *por causa* disso), sabe o quanto foi difícil conseguir esta vitória. Mas lembre-se: ainda falta um pouquinho. Todo rito de passagem pressupõe uma série de etapas. E, no nosso caso, esta transição ainda inclui: a negociação do novo salário, a decisão de aceitar a oferta, a saída do emprego antigo (caso você esteja empregado) e o começo na sonhada nova posição. Mesmo não sendo um bicho de sete cabeças, é uma situação que exige uma postura adequada.

Discutindo o salário

> A primeira grande dificuldade na negociação do novo salário é o seu objetivo de obter o maior salário possível (com o respectivo pacote de benefícios), ao passo que a empresa tem em mente pagar apenas o limite máximo para conseguir convencê-lo a aceitar. Ou seja, prepare-se para enfrentar uma situação claramente *conflitante*.

Já foi dito aqui, mas vale a pena repetir: durante as entrevistas, você deve evitar a todo custo falar sobre salário – ou, pelo menos, nunca deve ser o primeiro a mencionar números específicos. Na verdade, a questão salarial deve ser evitada até você ter certeza de que a empresa deseja efetivamente contratá-lo. E algumas alternativas para evitar isso são:

- Você pode ser um pouco evasivo: "Vamos guardar a conversa sobre salário até que vocês estejam convencidos a me fazer uma proposta";
- Pode também devolver a pergunta ao entrevistador, respondendo, por exemplo: "Sei que esta posição não é nova na empresa e faz parte do organograma. Então, imagino que esteja inserida numa determinada faixa do plano de cargos e salários da empresa. Qual é esta faixa?" (Naturalmente, diga isso com suas próprias palavras...);
- Caso lhe perguntem, para fins de comparação: "Qual seu salário atual?", seja firme e objetivo na resposta: "Acho que isso seria comparar duas coisas muito diferentes, como bananas e maçãs". Ou: "É difícil estabelecer um paralelo entre minha posição atual e esta para a qual estou concorrendo";
- Se eles perguntarem diretamente, você deve dizer. "Tenho certeza de que vocês têm uma estrutura salarial bem definida e que essa posição se encaixa dentro desta estrutura. Qual a faixa salarial em que essa posição se encontra?" Ou, enfim: "Quanto o antigo ocupante da vaga recebia?";
- Finalmente, se você perceber que essa estratégia não será bem recebida, ou se sentir pressionado e não conseguir sair pela tangente, use uma "saída honrosa" e sugira uma faixa salarial aceitável para você: "Pelo que ouvi a respeito da posição, e com a ajuda de sondagens no mercado, acredito que a vaga deve valer de *x* a *y* reais."

Nunca se esqueça de que o *headhunter* ou consultor de RH que estiver conduzindo o processo já fez essa sondagem – e você não estaria participando do processo se não estivesse dentro da faixa que a empresa está disposta a pagar. E, principalmente não sendo uma vaga recém-criada, a empresa já estabeleceu o quanto vai pagar.

Como vê, não é uma situação das mais simples. A cada nova entrevista, a cada nova etapa, você deve ter um mesmo objetivo: ressaltar aquilo em que você se *diferencia* dos outros, para ir se destacando ainda mais e fazer com que, gradativamente – mas com segurança – eles se "apaixonem" por você.

Lembre-se: mesmo incluído no pequeno grupo seleto dos finalistas, *você ainda é como todos os outros* – e pode ser descartado com relativa facilidade por conta de uma expectativa alta de salário, revelada antes da hora. Ou seja, ainda é fácil "não gostar de você". Mas o "obstáculo" de um salário alto irá se relativizando à medida que eles forem gostando, e investirem (por exemplo) em mais uma entrevista. Conforme for superando as etapas do processo seletivo, quanto maior for o número de entrevistas (e mesmo de pessoas presentes em cada uma delas), você estará se tornando "menos caro" para a empresa (independente de sua pretensão salarial). O sentimento de que a empresa está investindo em você vai fazendo com que ela não queira abandonar esse investimento.

Ser *muito mais caro* do que outros candidatos pode fazer com que a empresa desista mais cedo. Portanto, mostre tudo o que o "caro" pode "comprar" se a empresa decidir "pagar". Você pode ser mais caro que outros candidatos, mas tem mais experiência, uma carteira de clientes, uma extensa rede de relacionamentos, resultados demonstrados, uma especialidade específica, potencial de crescimento, etc. – enfim, *alguma coisa* que justifique o dinheiro a mais que será investido no seu pacote de remuneração. Por isso é fundamental você esperar para discutir remuneração até que a pessoa que decide pense: "Tenho que contratar essa pessoa. É o melhor candidato para a posição".

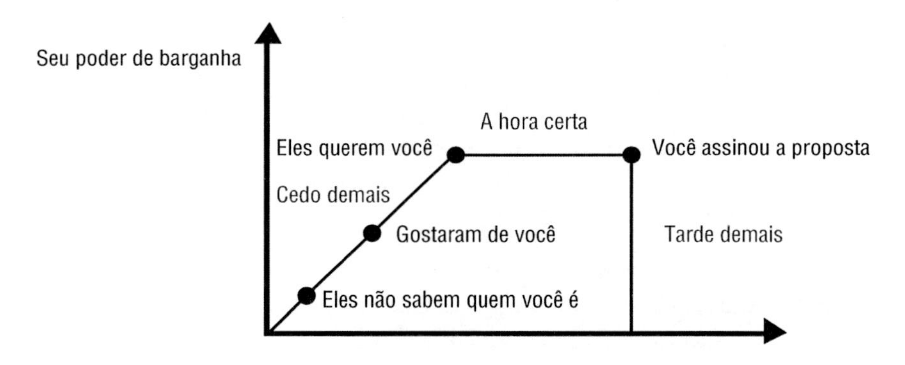

ADAPTADO DE: BOLLES, R. N. *WHAT COLOR IS YOUR PARACHUTE? 2008: A PRATICAL MANUAL FOR JOB HUNTERS AND CAREER-CHANGERS*. BERKELEY: TEN SPEED PRESS, 2008.

COMO DISCUTIR O SALÁRIO

E, já que estamos falando de dinheiro, não podemos nos esquecer da outra face desta "moeda": a *sua* expectativa salarial. Afinal, se a empresa vai entrar em campo com uma ordem de grandeza bem definida sobre o investimento aceitável em você, é importante que também se prepare para a conversa, tendo em mente uma *pretensão mínima* de ganhos.

O primeiro ponto importante a ser levantado é seu orçamento doméstico. De quanto você precisa para viver? Coloque na ponta do lápis todas as suas despesas, inclua uma margem para poupança e investimentos, acrescente os impostos que incidem sobre a folha de pagamento – e pronto! Você já conseguiu estabelecer o "salário mínimo" necessário para manter as necessidades básicas de sua família. Mas cuidado: não revele esse número para ninguém.

O passo seguinte é comparar (estabelecer paralelos entre) este orçamento doméstico e as faixas salariais correspondentes à vaga no mercado de trabalho. Existem várias "fontes" de informação na internet, além de revistas impressas que apresentam dados sobre salários. O problema é a dificuldade em aferir a legitimidade, a representatividade e a atualidade desses dados: as pesquisas salariais utilizadas pelas empresas são realizadas a partir de um grupo selecionado de empreendimentos que normalmente têm o mesmo porte e atuam no mesmo setor de atividade – ou seja, competem e empregam pessoas "semelhantes". Nem poderia ser de outro jeito: empresas farmacêuticas são diferentes de bancos de varejo, que por sua vez são diferentes de bancos de investimento, e assim por diante.

Outro complicador neste terreno é que cada setor tem suas próprias políticas de remuneração, bônus e benefícios, e essa composição raramente é explicitada nessas "fontes" informais. As pesquisas são realizadas em momentos específicos do ano, normalmente próximos aos dissídios ou aos momentos de ajustes de mérito praticados pelas empresas. Isso quer dizer que são efêmeras: seus dados *caducam* logo e precisam ser atualizados. Além disso, é comum que cargos com nomes semelhantes tenham amplitude, habilidades ou responsabilidades diferentes em empresas de diferentes setores e tamanhos. Ou seja, as pesquisas utilizadas pelas empresas ajudam a entender todas essas particularidades normatizando os dados coletados – ao passo que as informações obtidas através da mídia comercial não são tratadas e apresentadas por profissionais de remuneração que lidam diariamente com isso. Na melhor das hipóteses, servem apenas como uma referência de ordem de grandeza.

Cabe então a pergunta: como obter informações salariais mais confiáveis?

O melhor caminho é perguntar à própria empresa onde você está sendo entrevistado – e que você também vai estar entrevistando, lembra-se? Cabe a você fazer mais este dever de casa, pesquisando a empresa e conversando com pessoas que trabalham ou trabalharam lá. Tente obter o máximo de informação nessas conversas – normalmente, a composição entre salário base, bônus e benefícios não é nenhum segredo e certamente o pessoal do RH (ou o *headhunter*) vai abrir esse dado para você. Então, não tenha medo e pergunte abertamente sobre o bônus que tem sido pago, por exemplo, nos últimos três anos. O pacote de benefícios também pode ser facilmente fornecido por estas mesmas pessoas. A única informação "escondida" até a hora da oferta será o salário-base. Mesmo assim, procure obter uma faixa, lançando mão de toda e qualquer ajuda disponível – desde pessoas que integram ou já integraram os quadros da empresa, amigos ou membros da sua *network* que atuem no RH, ou em outras posições em empresas semelhantes (em porte ou em segmento de atividade).

Negociando a oferta

Finalmente, chega a hora em que o mistério se desfaz e você atinge o objetivo perseguido em todo este processo: recebe a oferta de trabalho, inclusive com a proposta salarial definida. Parabéns! Mas não vale a pena cantar vitória antes da hora. Faltam ainda *alguns passos.*

(Lembre-se: a oferta de trabalho deve vir por escrito, com todos os detalhes do pacote: salário-base, bônus, pacote de benefícios, data para início, local de trabalho, nome da pessoa a quem você vai se reportar e todos os demais detalhes específicos da posição ou da negociação que você tenha realizado. Precaução nunca é demais: as pessoas mudam, e às vezes têm memória curta. Portanto, esse documento é a única maneira de você esclarecer qualquer dúvida que por acaso venha a surgir no futuro.)

> Chegou, afinal, aquele momento em que você terá que avaliar e decidir: você *realmente* quer trabalhar nessa empresa? Você deve estar se perguntando: "Como assim?! Claro que eu quero! Eles até já me fizeram uma oferta!". Mas não é bem assim: você não precisa se sentir obrigado a aceitar qualquer oferta – nem a responder imediatamente. E se, na eventual correria do processo seletivo, você deixou de fazer uma reflexão mais profunda, saiba que o momento é agora.

Na verdade, a essa altura, você já deveria saber se quer ou não trabalhar naquela empresa e naquela posição pela qual lutou tanto. Afinal, já investigou o clima organizacional, a responsabilidade da posição, as perspectivas da empresa e todo o resto. Ou melhor, *quase* tudo: a única informação nova é o salário. Mesmo assim, sem dúvida trata-se de uma decisão importante. Por isso, não dê uma resposta de imediato: mostre-se feliz e peça 48 horas para avaliar a proposta. Use este tempo para refletir bem e tomar a melhor decisão. Mudar de emprego é algo difícil – e você precisa ter certeza de que está fazendo isso pelas razões corretas.

Por exemplo: mesmo que financeiramente a oferta seja boa, talvez este ainda não seja o emprego dos seus sonhos. Em geral, as pessoas costumam subestimar (ou até negligenciar) os fatores intangíveis envolvidos no trabalho, como: o nível dos colegas, a qualidade do ambiente, os desafios a serem enfrentados, a facilidade de locomoção até o local de trabalho, a reputação da empresa, seus valores e sua cultura – enfim, uma série de aspectos. Mas acredite: o dinheiro não é o mais importante. E isso está longe de ser uma frase feita ou de autoajuda: várias pesquisas com pessoas que trocam de empresa revelam que raramente o salário é citado como uma das razões principais para a mudança. Portanto, trate de avaliar bem seus critérios para a troca de empresa – e, se tudo fizer sentido, siga em frente para negociar a oferta.

Mas o mais importante, em tudo isso é: você, finalmente, recebeu uma cifra concreta, sobre a qual terá que pensar e decidir. Se achar que existe espaço para negociação, é sua vez de arriscar e dizer, por exemplo: "Estamos perto. Mas eu estava esperando um número entre *x* e *y* reais. Que margem existe para melhorar esta oferta?". Caso não haja espaço para negociar o salário-base, você pode tentar negociar os benefícios: carro, plano de saúde, gasolina, celular, seguros, auxílio-mudança, bônus, ações, *signon*, ou mesmo o pagamento de algum curso ou despesa. Um fator que pode ajudar neste momento é conhecer um pouco sobre a política de ajustes salariais da companhia (histórico de dissídios, mérito, etc.)

Você não precisa se sentir inseguro ou acanhado, nesta conversa. Acredite: nenhuma empresa vai retirar a oferta de trabalho só porque você está tentando negociar. Certamente, se a proposta é boa, não há qualquer problema em aceitá-la de primeira e com entusiasmo – mas um esforço de negociação é até esperado por eles. O máximo que podem dizer é que não há negociação. (Aliás, é o que costumo fazer, no meu trabalho: sempre faço a oferta justa logo de saída.)

Há alguns outros elementos que podem ser incluídos nesta etapa de negociação (e, se não for agora, "cale-se para sempre"). Por exemplo: talvez você tenha algum bônus a receber no futuro em seu emprego atual – e, se você mudar de emprego, terá que abrir mão dele. O ideal é que informe isso ao *headhunter* ou ao pessoal de RH da empresa contratante antes de chegar ao momento de uma oferta. (Pode ser ainda em valores aproximados, mas vai precisar ter um número exato quando chegar a hora da oferta e da negociação.) Em momentos de mercado aquecido, a contratante vai fazer uma oferta para cobrir esse valor e pode até propor algo a mais para motivá-lo fazer a troca. É o chamado *signon bonus*: um bônus especial, pago na admissão (na assinatura do contrato) para compensar por possíveis perdas financeiras que esteja incorrendo com a troca de empresa.

Como você pode ver, existe algum espaço para negociar com o novo contratante, sem precisar mexer no salário-base ou no pacote de benefícios, que normalmente obedecem a regras e padrões específicos – uma distorção nesses itens causaria problemas com os demais empregados. Em vez disso, as empresas vão preferir "comprar" essa diferença com uma só tacada. E você está cada vez mais perto de preencher a nova posição: só falta decidir.

Tomando a decisão: ficar ou demitir-se?

Depois de todo esse processo – e, principalmente, se você tem clareza sobre o que está procurando e por que está deixando a empresa atual – deveria ser fácil tomar a decisão de aceitar a oferta. Mas não é assim tão simples. Porque, no fim das contas, trata-se de uma decisão emocional. Por isso, antes de dar o passo fundamental, reveja a lista de objetivos pessoais que você colocou para si mesmo lá atrás, quando começou a buscar uma nova posição – e, depois disso, conclua: a nova empresa e o novo emprego atendem pelo menos à maioria deles?

Algumas perguntas que podem ajudar nessa hora:

- O ambiente da empresa é bom?;
- O pacote de remuneração é bom?;
- A localização é boa?;
- Você vai conseguir trabalhar bem com seu futuro chefe?;

- Você vai conseguir trabalhar bem com seus futuros colegas e a nova equipe?;
- Os desafios da posição são interessantes? Você tem condições de desempenhar bem suas novas funções?;
- A futura posição também lhe dá oportunidade de aprendizado?;
- A empresa atua num segmento que tem boas perspectivas de crescimento no futuro próximo?;
- A empresa é financeiramente saudável?;
- A empresa pode ser alvo de uma fusão ou aquisição?;
- A empresa tem planos de investimentos sólidos para os próximos anos?;
- A empresa vem obtendo resultados positivos no passado recente?;
- A posição e a empresa oferecem condições de você continuar crescendo profissionalmente?;
- A posição se alinha com suas ambições de carreira?;
- Você se identifica com os valores e a missão da empresa?;
- A quantidade de viagens é suportável?;
- De que maneira ela irá pesar no equilíbrio entre sua vida pessoal e o trabalho?

Lembre-se: salvo na difícil condição de desempregado, você já tem um bom emprego – mas está querendo um *melhor*. E, mesmo que não tenha um emprego, você não quer qualquer coisa: quer *aquele* emprego com que sempre sonhou.

Em frente! Pedindo demissão

Você refletiu muito e tomou a decisão: vai aceitar o novo emprego. Mas lembre-se de que nunca deve pedir demissão antes de estar tudo acertado com a nova empresa.

Comunique sua decisão de forma sucinta e breve, elegante e definitiva. Peça demissão com classe. E, acima de tudo, não queime seus navios nem destrua pontes: por mais aliviado que você esteja com o novo emprego, ou por pior que seja a empresa da qual está se desligando, essa não é a hora de dar sermão, vingar-se ou apontar todas as coisas que não funcionaram. Da mesma forma, nem pense em dar conselhos sobre as coisas que a empresa deveria mudar, etc. Nada disso! O mundo dá muitas voltas e é bem provável que você volte a encontrar essas pessoas nas idas e vindas do mundo corporativo. Por exemplo: conheço uma pessoa que hoje se reporta a alguém de quem já foi chefe no passado.

É provável que seu chefe (ou a pessoa para quem você está comunicando a demissão) comece a fazer uma série de perguntas – mas elas não levarão a nada. Talvez, o melhor a fazer seja encerrar essa conversa dizendo simplesmente (e aqui vai uma sugestão de discurso, para você adaptar ao seu temperamento e estilo):

> Minha decisão já está tomada. Foi muito difícil, porque gostei muito de trabalhar aqui, do relacionamento positivo que sempre tivemos, das oportunidades pessoais e de aprendizado, etc. Então, não quero tornar este momento ainda mais difícil. Peço que você respeite minha decisão e não torne a situação ainda mais complicada do que precisa ser. Tenho uma lista dos projetos que estão em andamento e gostaria de discutir como podemos planejar o período de transição com o meu substituto.

Saiba que você *não* tem obrigação de dizer quem é o seu novo empregador. Comente, no máximo, que a oferta é desafiadora e representa uma oportunidade de crescimento profissional.

Certamente, você terá que cumprir um inevitável período de aviso prévio. O melhor é estabelecer e combinar exatamente o que você precisa fazer durante este tempo – e esforce-se ao máximo para entregar o melhor trabalho da sua vida. Prepare a transição com detalhe. E capriche. Além disso, cuide para que ele seja o mais curto possível: não é bom pra ninguém (você, a empresa ou seu novo empregador) que o período se arraste. Afinal, você já saiu da empresa – mentalmente, emocionalmente. Então, saia também *fisicamente* o quanto antes. E, por mais orgulhoso que esteja de sua nova conquista, *nunca* fique se vangloriando: não fale demais sobre a nova oportunidade para seus colegas de trabalho atuais. Da mesma forma, resista à tentação de dizer à empresa o que ela deve mudar para que outras pessoas não saiam no futuro. Lembre-se de que sua relação com as pessoas na empresa atual já não é a mesma.

A CONTRAPROPOSTA

Sua decisão já está tomada e você já está com um pé do lado de fora da empresa. Conseguiu aquilo que queria – e se sente plenamente satisfeito com isso. No entanto, esteja preparado: é normal que sua empresa atual faça uma *contraproposta*, que poderá vir na forma de um aumento salarial, ou de algumas "variantes", como: um bônus de retenção (ou bônus de permanência, que será pago daqui a alguns meses), uma promoção ou movimentação lateral.

Mas, cá entre nós, isso pode mudar alguma coisa? Claro que não! A verdade é que, se você sentiu necessidade de buscar um emprego pelos motivos justos, eles certamente ainda existem – e continuarão a existir. Nada do que lhe for oferecido vai mudar isso: se tomar a decisão (imprudente) de ficar, no prazo de três ou seis meses estará novamente insatisfeito (e pelas mesmas razões!). Há trabalhos acadêmicos que mostram que a maioria das pessoas que volta atrás numa decisão de deixar uma empresa, acaba se arrependendo e deixando-a definitivamente no máximo em 18 meses.

É possível que esta contraproposta faça você se sentir momentaneamente "envaidecido" e prestigiado. Mas isso vai de encontro a tudo aquilo que fez você buscar uma oportunidade nova. Trata-se, no máximo, de uma *massagem do ego*. Pois bem: trate de deixar o ego de lado – e siga os motivos racionais que o fizeram chegar aqui.

Na verdade, o único motivo para você receber a contraproposta é: naquele momento específico, a empresa precisa mais de você do que você deles, e é mais barato para ela tentar mantê-lo do que investir numa substituição. Mas lembre-se de que esta é uma situação *conjuntural*: tenha certeza de que, de agora em diante, a empresa vai fazer de tudo para mudar esse quadro.

NO NOVO EMPREGO: MUITA CALMA NESSA HORA...

Parabéns. Você conseguiu: está finalmente começando naquele que promete ser o emprego da sua vida. Desde o início, não esconda seu entusiasmo – pelo contrário, demonstre todo o seu entusiasmo! Mas nem por isso deixe de lado a precaução e o cuidado: aja com muita calma, para não "atropelar" e acabar cometendo erros, pela simples ansiedade de mostrar resultados rápidos.

É verdade que todos recomendam os chamados *quick wins* (no inglês, " conquistas rápidas") aqueles pequenos resultados que você pode entregar em pouco tempo e com um mínimo de esforço. São pequenos resultados que podem e deve ser apresentados nos primeiros 90 dias. Até aí, tudo bem – mas lembre-se de que você acabou de chegar. Portanto, controle-se, para não provocar nenhum dano irreparável.

Antes de mais nada, resista à tentação de mostrar resultados rapidamente (os *quick wins*). Afinal, você não é o "salvador da pátria", nem o tão esperado "messias": é apenas *mais um*, começando a se relacionar com o pessoal da empresa. Nunca perca de vista o fato de que a empresa já existia antes de chegar – e certamente continuará existindo por muito tempo depois de você. Em suma: resista à tentação de impor mudanças, questionar ou querer fazer as coisas à sua maneira. Não importa o quanto é experiente, inteligente e capaz de contribuir para a nova organização – uma coisa é certa: você vai causar um impacto muito maior e será recebido com muito mais respeito e espírito de cooperação se tratar de aprender sobre a nova empresa e suas "personalidades" antes de começar a dar uma contribuição relevante.

Portanto, não se apresse: você tem bastante tempo para começar a se colocar à prova. Procure estabelecer *bases sólidas* no novo emprego, pois será sobre elas que vai conseguir construir sua reputação. E o primeiro passo para isso é construir bons relacionamentos. Só depois combine com seu chefe quais são seus objetivos de curto prazo relevantes, e pergunte com quem você deve trabalhar para que eles aconteçam. E, a não ser que você tenha um mandato claro para mudar tudo na empresa, aja com prudência e sabedoria. Principalmente neste dois pontos:

- Preste atenção em *como as coisas são feitas*, e procure aprender as políticas e procedimentos da empresa – escritas e não escritas. A empresa e seu pessoal estão trabalhando de uma mesma maneira há muito tempo, com o devido sucesso. Sendo assim, esteja certo de que eles não vão entender (nem ver com bons olhos) uma vontade repentina de mudança. Em vez de agir assim, conquiste primeiro seu espaço, faça aliados e tenha calma na hora de mostrar outras maneiras de fazer as coisas;
- No início, ouça bastante – *e não tenha medo de fazer perguntas*. Pergunte muito. Entenda as políticas, personalidades, estilos, rituais e heróis – enfim, a cultura e a história da empresa. Afinal, cada uma tem sua maneira de trabalhar, seus códigos (escritos e não escritos). Procure aprendê-los e respeitá-los desde o início.

Procure sempre valorizar aquilo que estiver funcionando bem. Lembre-se de que se juntou a essa organização por motivos específicos, que fazem sentido pra você. Assim, valorize essas questões e procure reconhecer tudo o que exista de positivo: faça elogios e expresse seu reconhecimento pelos que estão ao seu redor, contribuindo para este sucesso da empresa. (Nem preciso acrescentar: *sem nenhum viés de puxa-saquismo...*)

Outro ponto importante. Como em certas igrejas barrocas mineiras, que sempre surpreendem quando entramos, as coisas raramente são como pareciam do lado de fora. Você terá algumas surpresas positivas e negativas. Então, trate de administrar bem as surpresas negativas e procure entender as razões dessa "decepção", antes de criticar ou reclamar.

Construa uma boa base de aliados – e o melhor caminho para isso é evitar as pessoas negativas e identificar, desde o início, quem está ao seu lado, quem está contra e quem é indiferente. Seja sensível ao fato de que sua entrada na empresa pode estar representando a frustração de alguém que não foi promovido – e este alguém pode muito bem ser um colega ou um membro da equipe que você agora supervisiona.

Procure manter o foco naquilo que é mais importante. E uma das coisas, nesse novo momento da sua carreira, é definir objetivos claros com seu novo chefe, que deve ser seu principal aliado. Lembre-se: seu sucesso vai depender – e muito! – dele. Converse, aprenda, defina objetivos e a maneira de trabalho claramente. Faça reuniões regulares e constantes no início – o que você poderá ir espaçando à medida que ganhar confiança.

Nunca será demais repetir: por mais que você se esforce, seu sucesso dependerá *muito* da sua equipe. Portanto, dedique-se a conhecê-la, tanto no campo profissional quanto no pessoal – certamente, na medida da liberdade e da abertura que lhe derem. É importante conhecer suas expectativas de carreira, para você ter consciência de como poderá ajudá-los a aprender e crescer. E um dos melhores caminhos para isso é alinhar bem os objetivos de trabalho com os membros de sua equipe, estabelecendo junto com eles as principais rotinas – como reuniões, teleconferências, lista de distribuição de e-mails, etc.

Procure aprender. Sempre. Afinal, você mudou de emprego porque queria algo novo: queria crescer. Agora, está diante de uma oportunidade única de aprendizado com situações, clientes, relacionamentos e ferramentas completamente diferentes. Então, aproveite.

Nada disso significa que você deve ficar em permanente estado de alerta ou de tensão. Pelo contrário: divirta-se, e procure comemorar as pequenas vitórias. A celebração é muito importante: é um *feedback* positivo, que alimentará um ciclo virtuoso de conquistas.

Pronto! Agora está tudo como você desejava. Então, trate de comemorar sua conquista pessoal. Você percorreu um longo caminho. Preparou-se. Investiu. Superou obstáculos. Superou-se. Aprendeu. Conquistou aquilo que queria. Reserve alguns momentos para relembrar a aventura e celebrar. Afinal, você merece.

Parabéns! Sucesso!

TOMANDO A DECISÃO

Você recebeu uma oferta de trabalho e tem que tomar uma decisão. Deveria ser fácil. Afinal de contas, você se esforçou muito para isso. Era tudo o que você queria. Mas, na verdade, esse é o momento mais difícil. E é assim porque é o seu futuro profissional que está na linha. É uma decisão que vai influenciar decisivamente sua vida.

Por isso vou repetir e reforçar as perguntas que já foram apresentadas neste capítulo e que você deve se fazer nesse momento:

- O ambiente da empresa é bom?;
- O pacote de remuneração é bom?;
- A localização é boa?;
- Você vai conseguir trabalhar bem com seu futuro chefe?;
- Você vai conseguir trabalhar bem com seus futuros colegas e a nova equipe?;
- Os desafios da posição são interessantes? Você tem condições de desempenhar bem suas novas funções?;
- A futura posição também lhe dá oportunidade de aprendizado?;
- A empresa atua num segmento que tem boas perspectivas de crescimento no futuro próximo?;
- A empresa é financeiramente saudável?;
- A empresa pode ser alvo de uma fusão ou aquisição?;
- A empresa tem planos de investimentos sólidos para os próximos anos?;
- A empresa vem obtendo resultados positivos no passado recente?;
- A posição e a empresa oferecem condições de você continuar crescendo profissionalmente?;
- A posição se alinha com suas ambições de carreira?;
- As políticas de gestão da empresa fazem sentido?;
- Você se identifica com os valores e a missão da empresa?;

- A quantidade de viagens é suportável?;
- De que maneira ela irá pesar no equilíbrio entre sua vida pessoal e o trabalho?;

As respostas a essas perguntas influenciarão de modo diferente a decisão de cada profissional. Vou compartilhar com você a minha pergunta decisiva: essa movimentação me coloca mais próximo do meu objetivo maior de carreira?
Lembre-se: você não quer qualquer coisa, quer aquele emprego que há tanto tempo almeja.

Recado final
Agora é com você

Quem inicia um processo de busca de emprego (melhor: quando almeja o "emprego dos seus sonhos") corre o risco de cair na tentação de superdimensionar as dificuldades que vai enfrentar, já entrando em campo derrotado por antecipação. Os pessimistas que me desculpem – mas esta, definitivamente, não é uma boa estratégia...

Quando retornei ao Brasil, em 2008, trazia um plano bem definido: queria uma posição de diretoria de Recursos Humanos numa empresa de bens de consumo. Isso restringia – e muito – meu campo de ação: se o número de posições existentes já não devia ser grande, imagine as vagas disponíveis... Mas a verdade é que, de setembro a dezembro de 2008 (meu período de busca), fiquei sabendo de nada menos do que 23 posições em aberto, sendo trabalhadas por diversos *headhunters*!

Sem dúvida, é um número surpreendente de oportunidades, para uma função tão específica, num universo restrito – e nenhuma delas, é claro, chegou a sair em classificados de jornal ou na internet. Não fui necessariamente chamado para todos esses processos de seleção, nem me interessei pela maioria deles. Mas o fato é bastante significativo: quem procura *da maneira certa* sempre acaba encontrando o que quer.

Não estou exagerando. Vejam só: nesse mesmo contexto, um conhecido meu (gerente de RH) tinha sido demitido da empresa onde trabalhava – e já, desde o início, amargava resultados muito diferentes. Enquanto eu via muitas vagas, ele não estava conseguindo nada, numa faixa de atuação mais ampla. Para mim, as perspectivas eram promissoras. Para ele, "o mercado estava difícil".

Na verdade, toda a diferença estava na maneira como cada um conduzia seu processo de busca. Antes de sair em campo, eu fiz o inventário das minhas competências, defini o perfil da empresa que eu procurava e caprichei na elaboração do currículo. Quando entrei em ação, foi também com planejamento e disciplina que construí uma rotina tão rigorosa quanto qualquer projeto de trabalho. Preparei uma agenda e, com a ajuda dos amigos, os amigos dos amigos, os conhecidos dos amigos e os conhecidos desses conhecidos, fui tendo acesso a pessoas que eu (ainda) não conhecia – mas que foram me abrindo portas decisivas nesse processo.

Todos os dias, eu dava "expediente integral", pesquisando, dando telefonemas e marcando encontros – acumulando informações e ampliando minha rede de contatos. Foi assim que fiquei sabendo de tantas vagas de diretor de RH. Cheguei ao ponto de saber *quem* estava concorrendo a cada uma dessas posições, e até com quem eu disputei (e para quem perdi) algumas delas. Conversando e juntando os pedaços das histórias, no fim das contas eu sabia de *tudo* o que estava acontecendo no mercado. Certamente, deu muito trabalho fazer isso – mas procurar emprego exige o mesmo empenho e dedicação de quem exerce um ofício.

Enquanto isso, aquele gerente de RH, meu conhecido...

Bem, o fato é que, depois de "bater cabeça" por muito tempo, ele acabou conseguindo "alguma coisa" – que não era propriamente ruim, mas também não correspondia àquilo que ele sonhava. Embora nossa realidade fosse a mesma, havia entre nós uma diferença essencial de *atitude*: enquanto eu investia meu tempo fazendo o "dever de casa", ele desperdiçava o seu, agindo pouco e reclamando muito...

Agora é com você: que atitude vai preferir tomar?

Chegou a hora de agir

Você já deve estar juntando as peças do quebra-cabeça... Os diversos componentes do sistema começam a se encaixar e a fazer sentido? Bom, está na hora de colocar os aprendizados em prática. Mas antes de ir à luta, confira se o dever de casa está bem feito:

- Você acreditava em certos mitos sobre a busca de emprego, mas agora sente-se confortável para desmistificá-los e superá-los.
- As etapas e os papéis que serão desempenhados pelos principais atores de um processo seletivo estão bem compreendidos.
- Seu inventário de competências pessoais está construído sobre exemplos concretos de realizações profissionais.
- O discurso de venda está bem ensaiado: você vai relatar suas principais realizações profissionais, exemplificar suas competências essenciais e explicar o que aprendeu com seus erros.
- Você tem claro o que deseja como objetivo pessoal e de carreira e é capaz de articular essa mensagem em dois minutos.
- A sua rede de relacionamentos atual está devidamente mapeada.
- As empresas que lhe interessam estão identificadas e priorizadas.
- Você possui uma estratégia para se aproximar das pessoas que poderão lhe ajudar a chegar às empresas-alvo.
- Seu CV está pronto e referendado por um *expert.*
- Você já estabeleceu presença profissional nos meios adequados providos pela ambiente da Internet.
- O modelo STAR de perguntas e respostas não é mais novidade pra você.
- Você tem respostas prontas para as perguntas mais comuns dos entrevistadores.
- Você sabe como tomar o domínio da entrevista e obter as informações que precisa sobre a empresa.
- A decisão de buscar um novo emprego está tomada.

- Sua agenda de ação está pronta (escrita em algum caderno ou planilha eletrônica – não apenas na sua cabeça).
- No caso de estar entre empregos, você sabe que não está de férias e que seu tempo deve ser dedicado prioritariamente à busca de uma nova ocupação.
- Você entende que é o único responsável por fazer tudo isso acontecer e conquistar o emprego com o qual tanto sonha.

Endorsements à primeira edição

Ao longo da minha carreira como *headhunter*, tive a oportunidade de entrevistar mais de mil candidatos, analistas, *trainees*, gerentes e diretores. Todo ser humano é único e, como o próprio Marcelo diz, não existe o melhor candidato, mas sim o candidato certo para cada vaga.
Mesmo assim, independente da senioridade ou situação, a busca por uma nova oportunidade de trabalho pode ser muito mais complicada do que parece. Por todas as transições que acompanhei, posso afirmar que a grande maioria das mudanças acontece por acaso ou apenas baseada no simples fato de "querer mudar", sem maiores detalhes ou planejamento.
Uma escolha profissional errada, por menor que pareça, pode trazer consequências para o resto da vida. Assim como não se preparar adequadamente para a "entrevista dos sonhos" pode fechar uma porta para sempre.
Neste livro, Marcelo nos leva aos bastidores dos processos seletivos corporativos e ensina com muita simplicidade, objetividade e conhecimento de causa, como planejar uma mudança e ter o controle de sua carreira profissional. No mundo competitivo em que vivemos, conhecer suas fortalezas e saber o que se quer, certamente fará a diferença.

André Magro, *latam managing director* da Elliott Scott Human Resources Specialist Headhunters.

A obra escrita por Marcelo retrata de forma clara e direta as principais dimensões de um processo de recrutamento, utilizando uma linguagem instigante provocando o executivo a revisitar a todo momento sua carreira, suas atitudes e comportamentos.
Marcelo conecta de forma brilhante sua experiência pessoal e profissional com a realidade atual, fluindo através de cada etapa do processo, mostrando a realidade por trás de mitos e verdades, sempre dando conselhos extremamente úteis e não complexos para que cada um consiga encontrar seu real caminho profissional.
Sem dúvida, nos presenteia com conceitos que devem ser lidos por todo profissional, independente da formação, do momento ou senioridade.

Gustavo Parise, diretor da Korn/Ferry no Brasil.

A diferença entre o sucesso e o insucesso na busca por um novo e desejado emprego depende mais da atitude individual do que do momento que o mercado de trabalho possa estar passando. É exatamente com foco nessa atitude que Marcelo provoca e orienta o leitor.

E acredite: quase todas as pessoas com quem tive contato como *headhunter* e que tiveram sucesso nesse tipo de busca, eram profissionais que intuitivamente ou de forma planejada adotaram práticas, ferramentas e principalmente atitude muito próximas às que o autor nos coloca. Certamente, dominando todas elas, você terá muito mais chance do que seus "concorrentes" de encontrar uma vaga ou "ser encontrado".

Não espere um roteiro básico somente com dicas para montar um CV ou como se portar em uma entrevista. O livro traz isso e muito mais! De uma forma inteligente e profunda, porém muito prática, abrange desde a importância do autoconhecimento, mostrando a relevância de cada um saber o que realmente quer e conhecer seus diferenciais, até ferramentas e métodos com resultados objetivos para se preparar e vencer diversas etapas do caminho para um novo emprego. E o melhor: tudo isso com a injeção de uma boa dose de realismo e motivação, reforçando que você pode e deve ser dono do seu destino profissional.

O livro também desnuda os processos seletivos realizados pelas empresas, consultorias e *headhunters*, deixando explícitos mitos, verdades, mecanismos e pontos relevantes na escolha do melhor candidato. Isso permitirá que você, leitor, se prepare e fique seguro para lidar com sucessos e frustrações de cada etapa e, por fim, conseguir o emprego dos seus sonhos!

LUIS HENRIQUE HARTMANN, *MANAGING DIRECTOR* DA INTEGRITY CONSULTING.

Você está contratado! é um guia prático que aborda um tema complexo e atual, de forma envolvente, profunda e bastante didática.

Mais do que um manual para conseguir um novo emprego, trata-se de um convite à reflexão e ao autoconhecimento que são, sem dúvida, os pontos de partida para a busca pela realização pessoal, da qual a carreira faz parte.

Após ler este livro, você estará apto a preparar uma estratégia vitoriosa que lhe permitirá assumir as rédeas do seu próprio destino e obter o emprego dos seus sonhos.

RENATA CARDOSO LOPES, DIRETORA DE RH DA BIOGEN IDEC DO BRASIL.

A leitura deste livro convenceu-me de que sua abordagem completa e estruturada encoraja o leitor atento a aumentar efetivamente uma parcela importante da sua empregabilidade.
Sempre haverá pessoas em busca de trabalho e emprego para quem se preparar para conquistar uma vaga.
Caro leitor, seu conteúdo profissional é o seu grande patrimônio, mas sua estratégia como candidato é fundamental para "ganhar o jogo".
Minha sugestão: siga atentamente as orientações deste livro, identifique a sua qualificação e o seu potencial. Acredite: você será contratado!

THEUNIS MARINHO, EX-CEO DA BAYER POLÍMEROS S.A., *GENERAL MANAGER* DA LATIN AMERICA – BUSINESS GROUP PLASTICS DA BAYER AG, CONSELHEIRO CONSULTOR DA AON HEWITT BRASIL, PRESIDENTE DO CONSELHO DELIBERATIVO DA ABRH-SP E *PERSONAL AND EXECUTIVE COACH* DA LHH|DBM.

Esta é uma obra singular que reúne, com simplicidade, as mais puras e duras verdades do processo de conquistar o emprego dos sonhos.
Como amigo de longa data de Marcelo, já imaginava que as verdades aqui ditas seriam expostas da forma que devem ser.
Um verdadeiro guia, mesmo para os mais profundos conhecedores desta destemida busca, tão desafiadora, pelo emprego ideal.
Um guia completo, com detalhes importantes, com o passo a passo de cada etapa, recheado de exemplos e recomendações práticas fundamentais. Presente ainda toda uma estrutura de assimilação e revisão, no mais puro intuito de nos permitir uma última chance, antes de incorrermos no risco de perdermos uma oportunidade, talvez a oportunidade dos nossos sonhos. Simplesmente uma obra esplêndida.
Um livro para pertencer àquela coleção especial, guardada com todo carinho, no melhor recanto da biblioteca pessoal, sempre visível, acessível e pronto para ser relido ou consultado.
Leitura imprescindível para todos os atores do mercado de trabalho.

FERNANDO CAMILO, SÓCIO-DIRETOR DA KAMINARH CONSULTING.

"Parabéns, você está contratado!"
Por trás de uma simples frase, sentimentos, emoções e muita expectativa. O anseio para ouvir essas palavras está no coração e no pensamento de cada candidato. Os dias ou meses para que isso aconteça são vividos e sentidos das mais diferentes formas e mexem com a motivação de qualquer profissional.

Neste livro, Marcelo consegue discorrer com muita simplicidade, didática e bom humor tudo aquilo que norteia as relações humanas quando se trata da busca de uma nova oportunidade de trabalho. Desmistificando muitos dos fantasmas que rodeiam essa prática da busca do profissional certo para a cadeira certa, o autor discorre sobre os bastidores da área de Recrutamento e Seleção de uma empresa.

Com habilidade, descreve todas as etapas de um processo seletivo, as principais competências exigidas e dicas simples para se dar bem frente ao desafio de uma entrevista de emprego. Indica ao leitor a melhor forma de se construir um bom CV e fala abertamente sobre as mais novas ferramentas de networking.

Além disso, o autor ainda coloca de forma muito transparente e sincera suas experiências pessoais como candidato em busca de uma nova oportunidade e, com muita riqueza, sua visão como diretor de Recursos Humanos no momento de escolher um candidato para a empresa em que trabalha.

O mesmo também aborda, de forma brilhante, a difícil arte da escolha eo impacto dos valores pessoais no dia a dia do trabalho. Ajuda também o leitor a explorar todas as oportunidades que vivemos todos os dias dentro do nosso círculo de influência.

Estou muito seguro de que o leitor encontrará neste livro a proximidade de um bom consultor, que o ajudará a conquistar a posição dos sonhos na empresa tão desejada.

RODRIGO VIANNA, *EXECUTIVE DIRECTOR* DA TALENSES: PEOPLE THAT MATTER.

Sempre vejo à minha volta muitas pessoas insatisfeitas com seu trabalho, ou buscando uma recolocação, mas sem saber por onde começar. Marcelo aborda o tema de maneira objetiva e direta, mostrando como você pode construir seu próprio caminho para buscar a solução. Leitura agradável e inspiradora, cheia de dicas práticas, reflexões e informações oriundas de pesquisas organizadas de quem vivenciou os dois lados da mesa: o de quem busca uma nova atividade e o de quem contrata. Vale a pena!

KAREN MASCARENHAS, *COACH*, CONSULTORA DE CARREIRA E RH, PROFESSORA DA FGV E PROFESSORA CONVIDADA DA FUNDAÇÃO DOM CABRAL.

O processo seletivo traz mitos e aflições que podem ser revertidos em uma experiência de sucesso quando o candidato se coloca como agente responsável por seu comportamento e escolhas inerentes ao mundo corporativo. Quando

faz do momento da busca o seu principal projeto com metas definidas, suportadas pelo autoconhecimento e a clareza de onde quer chegar.
Marcelo, com seu pragmatismo, nos provoca através de uma leitura dinâmica e inteligente, ensinando que, com método e disciplina, todos são capazes de protagonizar as suas escolhas profissionais. A reflexão principal nos leva a ir além da simples busca de um trabalho para a delícia que é se sentir preparado para algo que faça sentido na autorrealização e nos fortaleça como ser humano.

Um livro importante também para os profissionais de Recursos Humanos e todos os gestores de pessoas que, com foco na sustentabilidade do negócio, têm a importante missão de convergir a cultura organizacional, a necessidade de competências específicas e principalmente o encontro de candidatos que tenham a maturidade e preparo para o encaixe perfeito dessa tríade.

Sueli Thomé, gerente de Recursos Humanos da Sanofi Brasil.

Corajoso, provocante, sensível e realista. Assim resumo este presente que Marcelo nos proporciona ao dividir sua experiência sobre diferentes situações em processos seletivos, tanto na visão de executivo que busca o profissional, como na visão de candidato que busca o emprego.
Além de apresentar conceitos e teorias de forma estruturada, Marcelo nos surpreende ao retratar situações vividas e traduzi-las numa mensagem instigante e direta, esclarecendo questões pouco ou nenhuma vez abordadas tão realisticamente, sem clichês ou frases feitas para agradar.
Para o executivo que busca mudança e novos horizontes de carreira, esta passa a ser uma leitura obrigatória, pois eu asseguro que fará você pensar diferente, agir diferente e ser diferente. Aproveite!

Robson Castro, presidente da AGNIS Executive Search.

Quem quer investir na vida profissional de forma sistemática e eficiente precisa de algo bem diferente de um caminho das pedras, de uma receita de bolo ou mesmo de um mirabolante mapa da mina. Para dar um *upgrade* na carreira, conseguir um novo emprego ou simplesmente repensar toda a carreira, você vai precisar de orientação experiente e de estímulo maduro para uma empreitada que pode ter muito de aventura, mas nem por isso precisa deixar de ser segura e bem planejada.
É isso o que *Você está contratado!*, de Marcelo de Freitas Nóbrega, oferece: o acesso a um retrato fiel do comportamento do mercado, desenhado por um profissional que estudou o assunto e fez dele seu campo de trabalho. Some-se

a isso a experiência de quem pôs em prática os conhecimentos apresentados, e você terá um guia completo, com a autoridade *de quem sabe o que está falando.* "Olhe direito: há vagas!"; "Os amigos nem sempre vão ajudar"; "Seu CV pode ser seu pior inimigo"; "Que vença o melhor? Nem sempre!"... Além de quebrar mitos tradicionais e paralisantes, *Você está contratado!* ajuda a manter sempre o foco no principal – para você desistir de se comparar aos outros e passar a analisar seus pontos fortes e fracos, descobrindo assim aquilo em que você faz diferenças, *em que você é único!*

Talvez você já tenha recorrido a livros "desse tipo" para ajudá-lo na busca de uma nova posição profissional. Mas, como este não é mais um livro "desse tipo", uma coisa é certa: você vai ter acesso a informações inéditas e importantíssimas que não costumam estar disponíveis por aí, em uma linguagem ágil e direta, que vai fazer do próprio aprendizado uma experiência agradável e única.

Para não perder a próxima oportunidade de trabalho, lembre-se: *Você está contratado!* é a leitura que você não pode perder.

ANDRE BOCATER SZENESZI – *MANAGING DIRECTOR* DA BRAIN INTELIGÊNCIA EM TALENTOS E PROFESSOR DE PÓS-GRADUAÇÃO DA FGV EM ADMINISTRAÇÃO, LIDERANÇA E INOVAÇÃO.

Ao longo da minha carreira, orientei inúmeros amigos e executivos dizendo a eles que a atividade de "procurar um novo emprego" (ou sonho) é: indelegável e intransferível, e que eles mesmos teriam que liderar este "grande projeto" que dá muito trabalho (mais que o trabalho regular de todos nós). E, ao ler esta obra prática, informal e recheada de bons exemplos e experiências pessoais que o Marcelo escreveu, confirmo tudo! Não há fórmula certa ou pré-definida. Adapte as recomendações à sua experiência, estilo, temperamento (para cada um, uma solução). Diferencie-se dos outros e vá ao mercado, em busca de seu sonho, de forma planejada, com método e disciplina. Tome você mesmo as rédeas da sua carreira! Ao fazê-lo, estará no caminho certo para "você ser contratado"! Seja você mesmo será feliz! Este é o caminho mais fácil (e certo) para encontrar o "emprego dos seus sonhos". Mãos à obra, como ele sugere. Boa leitura!

LUIZ ALBERTO FRANCO BUENO, HÁ MAIS DE 20 ANOS, LÍDER DE ÁREAS DE *TALENT ACQUISITION* E DE *EXECUTIVE SEARCH*, ATUANDO EM EMPRESAS DE CONSUMO, *HUNTING*, FARMACÊUTICA E DE SERVIÇOS AÉREOS.

Bom senso, praticidade, vida real! Uma leitura leve, gostosa, que flui naturalmente. Ao tomar contato com tantos exemplos práticos e experiências pessoais vividas (por ele e por quase todos nós), Marcelo nos brinda com este "passo a passo" de como ir em busca de seu(s) sonho(s): um novo emprego, mas não qualquer emprego, e sim "aquele dos seus sonhos". E, "de quebra", ele nos deixa ótimas dicas para um melhor autoconhecimento, além de várias outras estratégias para "colocar o seu bloco na rua" em busca de sua nova posição no mercado. Se você acreditava em mitos sobre a busca de emprego, após ler este relato pessoal de sucesso, certamente "se sentirá confortável para desmistificá-los e superá-los". Afinal, você merece sucesso." Mas só terá este "sucesso" quem procurar (da maneira certa). Boas buscas e boa leitura!

VALERIA VIRONDA, EX-*HEADHUNTER*, PROFISSIONAL DE DO, TALENT MANAGEMENT E TALENT ACQUISITION, TENDO ATUADO EM EMPRESAS DO SETOR FINANCEIRO, CONSULTORIA E MÍDIA.

Com a atual multiplicidade de fontes de informação sobre a melhor forma para abordar o mundo corporativo e de autodenominados *experts* sobre o tema, profissionais que buscam novos horizontes em suas carreiras correm o risco de seguir conselhos potencialmente duvidosos e acabar não só retardando a obtenção dos resultados pretendidos, mas eventualmente, sepultando oportunidades valiosas. O leitor de *Você está contratado!* não corre esse risco. Somente alguém que esteve dos dois lados da mesa, contratando e sendo contratado por grandes organizações que são extremamente exigentes na atração de talentos, pode opinar com objetividade sobre o que faz a diferença nesse momento.
Marcelo de Freitas Nóbrega possui a qualificação e a experiência para escrever sobre o tema. Passou por processos muito criteriosos sendo contratado por grandes companhias multinacionais e nacionais e tem como desafio diário, nas empresas em que trabalha, a construção de times fortes através da avaliação de seus colaboradores e de profissionais do mercado. Marcelo é capaz de transferir para o leitor de uma forma muito didática tudo aquilo que viveu e aprendeu, dando dicas simples que são cruciais na decisão de uma contratação. Salienta, com todo o conhecimento de causa, a importância da construção de relacionamentos sólidos durante toda uma vida profissional e de uma atitude proativa em relação ao mercado de trabalho.
Você está contratado! tem muito do seu autor. É um livro objetivo, claro, focado, sem rodeios. E o mais importante, não é um livro que promete mostrar o caminho mais curto para conseguir o emprego dos sonhos, mas descreve os passos e mostra a receita certa e por vezes subestimada para se chegar lá: doses generosas de preparação, dedicação, resiliência e sobretudo autoconhecimento.

ANGELA PÊGAS, SÓCIA DA EGON ZEHNDER.

No dia a dia da nossa indústria de transição de carreira, me deparo com muita frequência com muitos ditos "profissionais de carreira" que trazem conselhos e técnicas sem nenhuma coerência com o mundo real das organizações em que vivemos, criando assim expectativas dissociadas da realidade para pessoas que querem crescer e se desenvolver.
Em uma de suas histórias pessoais de transição, Marcelo traz uma perspectiva real do que é fazer escolhas no mundo das organizações. Apontando que para isso é necessário se conhecer e ter uma real noção de quem você é, do que se tornou e do que quer para sua vida. Que a sorte é criada através de atitudes reais de foco, exposição e de relações pessoais com um mínimo de significado. Muito mais do que conselhos, ele traz um caminho trilhado para alcançar o seu melhor próximo passo de carreira e isso é muito mais legítimo do que eu tenho ouvido por aí.
Uma excelente leitura para quem quer se mover e dar novos passos na vida.

CLAUDIO GARCIA, PRESIDENTE PARA A AMÉRICA LATINA DA LHH|DBM.

Você está contratado! é um plano de voo para quem deseja pilotar sua própria carreira. Prega o protagonismo no processo seletivo e apresenta um roteiro útil, não só para profissionais que estão no mercado de trabalho e buscam uma recolocação, mas também para aqueles que buscam uma mudança na carreira.
De leitura fácil, parece um bate-papo com um amigo experiente em que refletimos sobre cada aspecto dessa jornada na busca do emprego ideal e que, necessariamente, passa pelo processo de autoconhecimento.
Tudo isso com um excelente embasamento teórico, oferecendo diversas fontes para os que desejarem aprofundar este ou aquele aspecto do plano para conquistar o emprego dos sonhos.

MARGARETH CARDOSO, DIRETORA DE RH DA GENPACT BRASIL.

Baseado em sua própria experiência e na análise completa dos processos e decisões que envolvem a contratação de um profissional, Marcelo de Freitas Nóbrega, alicerçado por uma ampla revisão da literatura acadêmica e comercial, nos oferece um sólido estudo conceitual assim como um guia prático para atingir o resultado almejado. Com vários exemplos práticos, ele demonstra que o planejamento criterioso, assim como aspectos de tenacidade, perseverança e resiliência são elementos cruciais a serem considerados. Uma valiosa contribuição não só para quem procura uma melhor opção de carreira, mas também para a comunidade de profissionais de Recursos Humanos.

Roman H. Santini, sócio da Odgers Berndtson.

Marcelo não traz apenas recomendações relevantes, algumas talvez já conhecidas, de como um profissional deve encarar a busca por um novo emprego. Por exemplo, ter disciplina, como se portar nas entrevistas que terá pela frente ou sempre manter uma rede de relacionamentos ativa. Mas expõe, de forma clara e objetiva, uma abordagem que nem todos usam como deveriam, que é explorar, antes de qualquer busca, uma etapa inicial fundamental de autoconhecimento durante a qual o profissional (ou candidato) reflete sobre o que quer e onde encontrará a combinação perfeita de suas aspirações e qualificações e as características da empresa. Desta forma, produz-se um ambiente propício à alta performance para os dois lados.

Luiz G. Mariano, da M.P. Flow Executive Finders.

O livro de Marcelo de Freitas Nóbrega apresenta, em linguagem didática e em diálogo próximo e interativo, um roteiro para que o leitor tome as rédeas de sua carreira e interfira mais diretamente em sua próxima posição profissional.

O texto apresenta ideias simples, mas poderosas e importantíssimas para profissionais que desejem celebrar suas conquistas ao invés de lamentar pela falta de oportunidades. Em anos de experiência recrutando executivos e tendo a oportunidade de interagir com milhares de profissionais em crise em suas carreiras, ainda me impressiono com a quantidade de indivíduos bem preparados, experientes, porém incapazes de planejar e interferir em seus destinos profissionais. Para estes, e para todos aqueles que ainda não chegaram à encruzilhadas em suas carreiras, o texto de Marcelo representa um roteiro objetivo, aplicável, e bastante completo, para a conquista da realização profissional.

E Marcelo certamente possui as credenciais para tratar do assunto. Em primeiro lugar, porque descreve sua própria experiência na mudança de rumo de carreira, efetivada com sucesso, e da qual pude participar. Eu conduzia a busca pelo diretor de RH da filial brasileira de uma das mais bem-sucedidas empresas de produtos de consumo do mundo. Os requisitos da posição eram muitos, e o nível de exigência, bastante alto, incluindo uma forte preferência por executivos com experiência no mundo de consumo. Marcelo preenchia a imensa maioria das competências procuradas, mas, oriundo do mundo de óleo e gás, não fazia parte do universo alvo da busca. Colocando em prática o que descreve em seu livro, Marcelo tomou conhecimento da posição, usou sua network para conseguir se apresentar como candidato qualificado, e preparou-se para cada fase da busca, inclusive para tratar da objeção à ausência da experiência em consumo. Aplicando várias das dicas apresentadas no livro, Marcelo venceu cada etapa do processo, até transformar-se no candidato selecionado e contratado para a posição.

A segunda razão para levar a sério o roteiro apresentado por Marcelo são suas credenciais. Marcelo possui uma experiência profissional destacada, com vivência no Brasil e nos Estados Unidos. Naquela mesma empresa de sucesso em que ingressou como diretor de Recursos Humanos da filial brasileira, acabou promovido a diretor para América Latina, com responsabilidade por todas as operações no continente. E, finalmente, hoje ocupa a posição de líder de Recursos Humanos para uma gigante brasileira de serviços, com operações em vários estados do Brasil, nos Estados Unidos e Europa. Em sua função, Marcelo toma decisões de promoção e contratação de executivos diariamente e sabe diferenciar aqueles que tomam o controle de suas carreiras, daqueles que passam toda sua vida profissional na carona das definições tomadas por terceiros, sem realizar suas competências e sonhos profissionais.

Uma leitura leve, agradável, e esclarecedora rumo à realização profissional.

RICARDO ROCCO, DIRETOR-GERAL DA SPENCER STUART.

Marcelo consegue naturalmente, em seu primeiro livro, o que poucos conseguem fazer após uma vida inteira de muito esforço: desenvolver um método de fácil aplicação, repleto de orientações práticas e, ao mesmo tempo, baseado em um forte alicerce teórico. Ou seja, ele consegue ser prático, relevante e aplicável, sem ser raso e superficial. Quem achar que isso é fácil, nunca tentou fazer as duas coisas ou, como eu, não conseguiu chegar sequer perto daquilo que Marcelo faz parecer ser tão fácil...
É fascinante ver como o Marcelo foi efetivo em sintetizar tantas lições aprendidas, tanto da literatura de ponta, quando de sua vasta experiência executiva dentro e fora do RH, no Brasil e no exterior, em um único livro simples, sintético, e fascinantemente útil. Eu o recomendo fortemente, tanto ao profissional que pela primeira vez adentra no mercado de trabalho, quanto ao veterano que perdeu um pouco da prática na coisa e precisa de uma mãozinha.
Em um mundo cada vez mais digital, em que muitos de nós acabamos não nos apegando mais a grandes coleções de livros, que acabamos eliminando

em favor de arquivos eletrônicos ou páginas da internet, esta obra do Marcelo é uma raridade. Ele é daquele tipo de livro que a gente não se desfaz de jeito nenhum. Porque sabemos que o leremos muitas vezes, e que será nosso companheiro quando mais precisarmos daquela força. No meu, pelo menos, ninguém toca.

Miguel Caldas, professor da FGV e ex-diretor de RH de empresas como Votorantim, Vale e Biosev (Louis Dreyfus Commodities).

Marcelo faz um livro muito interessante, prático e de simples leitura, com dicas muito valiosas. Ele vai ajudar aqueles que estão começando ou aqueles que estão no meio da jornada, questionando sobre o caminho escolhido.
A partir de sua experiência pessoal, em momento de mudança, ele estruturou didaticamente as fases e etapas que tem que ser seguidas em um processo de planejamento de mudança, incluindo dúvidas, indagação e "puxadas de orelha" nas questões que podem significar recaídas ou postergações, ou melhor ainda, tentação de achar que se pode delegar este processo para outra pessoa ajudá-lo a achar seu caminho. Não há atalhos: como em uma viagem, tem que haver planejamento e boa execução.
Marcelo ensina, neste livro, com mapa e pistas, um caminho para que carreira, mudança de posição e " busca da felicidade", sejam um projeto, com começo, meio e fim, no qual o autor é você. Este é um processo indelegável, e o sucesso deste empreendimento dependerá do alinhamento entre expectativas e realidade, do planejamento, da atitude e da resiliência de cada um em seu projeto.

Fátima Zorzato, *managing director* da Russell Reynolds Associates.

Contato com o autor
mnobrega@editoraevora.com.br

Este livro foi impresso pela gráfica BMF em papel *Offset* 70g